KB067128

NEW 서울대 선정 인문고전 60선

54

칼융 **심리학과 종교**

NEW 서울대 선정 인문 고전 54

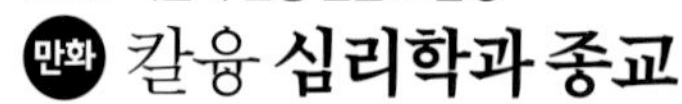
만화 칼융 심리학과 종교

개정 1판 1쇄 발행 | 2019. 8. 21
개정 1판 3쇄 발행 | 2025. 1. 11

최현석 글 | 주경훈 그림 | 손영운 기획

발행처 김영사 | 발행인 박강휘
등록번호 제 406-2003-036호 | 등록일자 1979. 5. 17.
주소 경기도 파주시 문발로 197 (우10881)
전화 마케팅부 031-955-3100 | 편집부 031-955-3113~20 | 팩스 031-955-3111

값은 표지에 있습니다.
ISBN 978-89-349-9479-4
ISBN 978-89-349-9425-1(세트)

좋은 독자가 좋은 책을 만듭니다. 김영사는 독자 여러분의 의견에 항상 귀 기울이고 있습니다.
전자우편 book@gimmyoung.com | 홈페이지 www.gimmyoung.com

이 도서의 국립중앙도서관 출판예정도서목록(CIP)은 서지정보유통지원시스템 홈페이지(http://seoji.nl.go.kr)와
국가자료종합목록시스템(http://www.nl.go.kr/kolisnet)에서 이용하실 수 있습니다. (CIP제어번호 : CIP2018043085)

|어린이제품 안전특별법에 의한 표시사항| **제품명** 도서 **제조년월일** 2025년 1월 11일
제조사명 김영사 **주소** 10881 경기도 파주시 문발로 197 **전화번호** 031-955-3100 **제조국명** 대한민국
사용 연령 10세 이상 ⚠**주의** 책 모서리에 찍히거나 책장에 베이지 않게 조심하세요.

미래의 글로벌 리더들이 꼭 읽어야 할 인문고전을 만화로 만나다

NEW
서울대 선정
인문고전
60선
54
칼 융 심리학과 종교
최현석 글 · 주경훈 그림

주니어김영사

| 기획에 부쳐 |

〈NEW 서울대 선정 인문고전60〉이 국민 만화책이 되기를 바라며

제가 대여섯 살 때 동네 골목 어귀에 어린이들에게 만화책을 빌려주는 좌판 만화 대여소가 있었습니다. 땅바닥에 두터운 검정 비닐을 깔고 그 위에 아이들이 좋아하는 만화책을 늘어놓았는데, 1원을 내면 낡은 만화책 한 권을 빌릴 수 있었지요. 저는 그곳에서 만화책을 보면서 한글을 깨쳤고 책과의 인연을 맺었습니다.

초등학교 때는 용돈을 아껴서 책을 사서 읽었고, 중학교 때는 학교 도서 반장을 맡아 도서관에서 매일 밤 10시까지 있으면서 참 많은 책을 읽었습니다. 그 무렵 헤밍웨이의 《노인과 바다》를 손에 땀을 쥐며 읽으면서 인생에 대해 고민했고, 헤르만 헤세의 《수레바퀴 아래서》를 읽으며 사춘기의 심란한 마음을 달랬습니다. 김래성의 《청춘 극장》을 밤새워 읽는 바람에 다음 날 치르는 중간고사를 망치기도 했습니다.

당시 저의 꿈은 아주 큰 도서관을 운영하는 사람이 되어 온종일 책을 보면서 책을 쓰는 작가가 되는 것이었습니다. 나이가 들고 어느 정도 바라는 꿈을 이루었습니다. 큰 도서관은 아니지만 적당한 크기의 서점을 운영하고, 글을 쓰는 작가가 되었거든요. 저는 여기에 새로운 꿈을 하나 더 보탰습니다. 그것은 즐거운 마음과 힘찬 꿈을 가지게 해 주고, 나아가 자기 성찰을 도와주는 좋은 만화책을 만드는 일이었습니다. 이렇게 해서 만든 책이 바로 〈서울대 선정 인문고전〉입니다. 서울대학교 교수님들이 신입생과 청소년들이 꼭 읽어야 할 책으로 추천한 도서들 중에서 따로 60권을 골라 만화로 만든 것입니다. 인류 지성사의 금자탑이라고 할 수 있는 고전을 보기 편하고 이해하기 쉽도록 만화책으로 만드는 일은 쉬운 일은 아니었습니다. 약 4년 동안에 수십 명의 학교 선생님들과 전공 학자들이 원서의 내용을 정확하게 전달할 수 있도록 밑글을 쓰고, 수십 명의 만화가들이 고민에 고민을 거듭하면서 만화를 그려 60권의 책을 만들었습니다.

〈서울대 선정 인문고전〉이 완간되었을 무렵에 우리나라에 인문학 읽기 열풍이 불기 시작했습니다. 〈서울대 선정 인문고전〉은 인문학 열풍을 널리 퍼뜨리는 데 한몫을 하면서 독자들의 뜨거운 사랑과 관심을 받았습니다. 덕분에 지금까지 수백만 권이 팔리는 베스트셀러가 되었습니다. 그 사랑에 조금이나마 보답을 하기 위해 《칸트의 실천이성 비판》, 《미셸 푸코의 지식의 고고학》, 《이이의 성학집요》 등 우리가 꼭 읽어야 할 동서양의 고전 10권을 추가하여 만화로 만들었습니다.

〈서울대 선정 인문고전〉은 어린이와 청소년이 부모님과 함께 봐도 좋을 만화책입니다. 국민 배우, 국민 가수가 있듯이 〈서울대 선정 인문고전〉이 '국민 만화책'이 되길 큰마음으로 바랍니다.

손영운

| 글 작가 머리말 |

분석 심리학의 창시자, 융의 학문 세계

종교는 아주 오래전부터 있어 온 것이지만 심리학은 역사가 얼마 되지 않습니다. 심리학은 19세기 중반에 사람의 마음을 과학적으로 연구하고자 새롭게 만들어진 학문입니다. 따라서 심리학자들은 사람들의 마음속에 깊이 자리 잡고 있는 종교에 대해 관심이 많았습니다. 이 무렵 활동했던 심리학자 융이 종교를 깊이 연구하게 된 것은 아주 자연스러운 일이었습니다.

융이라고 하면 항상 함께 떠오르는 사람이 프로이트입니다. 프로이트는 심리학에서 무의식을 처음으로 체계화시킨 사람이지요. 프로이트의 학문을 '정신 분석학'이라고 합니다. 프로이트는 정신 중에서도 주로 무의식에 대해 연구했습니다. 반면에 융은 자신의 학문을 '분석 심리학'이라고 했습니다. 영어 표현으로 보면 '정신 분석'이라는 말인 psychoanalysis를 analytic psychology, 즉 '분석 심리학'으로 단어의 순서를 바꾼 것에 불과하지요. 그만큼 프로이트와 융 두 사람은 모두 무의식을 연구했고 무의식을 알아야 마음의 근본을 이해할 수 있다고 생각했다는 공통점이 있습니다.

하지만 융과 프로이트의 접근 방식은 많이 다르답니다. 우선 프로이트는 일정한 체계를 만들고 그것으로 모든 정신 증상을 해석하려 했습니다. 하지만 융은 환자의 생각을 억지로 이론에 끼어 맞추려 하지 않고 그 자체로 존중했습니다. 융은 정신과 환자를 치료하는 의사이기도 했지만, 스스로도 환상과 환청에 시달리며 자신이 병에 걸린 것이 아닌가 하고 걱정할 때도 있었기 때문입니다. 그래서 환자를 치료할 때 환자가 느끼는 것을 그대로 공감하고, 왜 그런 증상이 생기는지 같이 고민할 수 있었습니다.

융은 신경증과 같은 증상을 단순히 제거해 버려야 할 괴로운 증상으로 보지 않고 그 안에서 의미를 찾고자 했습니다. 《심리학과 종교》가 바로 이런 내용을 다룬 책입니다. 《심리학과 종교》는 한 신경증 환자의 증상들을 분석한 일종의 보고서와 같습니다. 융은 그 환자에게서 신경증이 왜 생겼는지 이해하려고 했답니다. 왜냐하면 융은 신경증이란 무의식적인 수준에서 생겨나는 것들을 의식이 충분히 포용하지 못할 때 나타나는 것이라고 생각했기 때문이죠. 그리고 융은 종교란 무의식에서 비롯되는 근본적인 인간의 성향이라는 결론을 얻었습니다.

융은 자기의 심리학 체계를 성립시키면서 원형(archetype), 집단 무의식(collective unconsciousness), 개성화(individuation), 그림자(shadow), 아니마(anima), 아니무스(animus) 등 새로운 개념들을 만들었습니다. 《심리학과 종교》를 읽다 보면, 융이 환자를 면담하면서 어떻게 이런 개념들을 형성해 가는지 엿볼 수 있습니다. 우리가 이 개념들을 알게 된다면 자신과 주변의 다양한 사람들의 생각이나 마음에 대해서 보다 잘 이해할 수 있을 겁니다. 자, 이제 융을 만나러 같이 가 볼까요?

최현석

| 그림 작가 머리말 |

무의식 세계로 이끈 훌륭한 안내자

이 책을 시작하기 전 칼 융에 대해 아는 거라곤 두 가지 뿐이었습니다. 그가 정신 분석학의 대가인 프로이트의 열아홉 살 아래 수제자라는 것과, 결국에는 프로이트와 다른 길을 걸어 분석 심리학을 창시했다는 것이지요. 그럼 분석 심리학이란 뭘까요? 융은 환자의 존엄성과 자유를 보호하고 환자가 그의 생애를 그 자신의 뜻에 따라서 살도록 돕는 데 목표를 둔 학문이라고 정의했습니다.

융의 생애와 작품을 이미지로 표현하면서 분석 심리학자로서의 그를 알게 되었습니다. 융은 프로이트와 같은 길을 달렸지만 이에 안주하지 않고 또 다른 미개척지를 향해 홀로 도전했다는 것을요. 융은 꿈이란, 억압된 정신과 영혼 그리고 무의식의 표출이라고 했습니다. 인격과 성품이 다르듯 개개인마다 꿈이 전하는 메시지도 다르다고 했습니다. 그리고 개인의 무의식에는 집단 무의식도 포함되었다고 했습니다. 집단 무의식은 인류 대대로 유전되고, 그러한 집단 무의식은 종교적 상징으로 표출된다고 주장했습니다. 융이 말하는 종교는 도그마가 되어버린 현대의 종교교리를 뜻하지 않습니다. 기독교나 불교 등의 특정 종교를 말하는 것도 아닙니다. 융이 말한 종교란 신화나 예술로 대치해도 됩니다. 예로 들자면 원시인이 태양이나 번개 등에 신성을 부여하며 마음에 품었을 만한 공포와 경외감 등을 말합니다. 융은 그것을 실재하는 광대무변한 무의식이자 '누미노제'라고 했습니다. 즉 누미노제는 야수와 다름없는 인류를 인간답게 정화하는 강력한 힘이라고 합니다.

오늘날 우리 대부분은 철학과 과학의 발달과 함께 종교로부터 철저히 유리되고 말았습니다. 따라서 현대인들은 신경증을 앓기 쉬운 처지에 놓여

있는 것입니다. 융은 모든 신경증 환자를 똑같은 처방으로 치료할 수 없다고 주장했습니다.

대신에 그는 환자가 꾼 꿈에 주목했습니다. 꿈에 나타나는 상징을 통해 인간 내면의 무의식 세계를 이해할 수 있다고 보았던 것입니다. 그래서 융은 늘 환자와 함께 공감하고 소통하며 무의식이 가리키는 방향을 해석하고자 했습니다. 그의 대표작인 《심리학과 종교》는 융의 이러한 노력과 경험이 고스란히 담겨 있습니다. 이 책을 통해 독자 여러분은 무의식의 세계로 이끌 훌륭한 안내자, 융을 만나게 될 것입니다.

주경훈

| 차례 |

1장 《심리학과 종교》는 어떤 책일까?

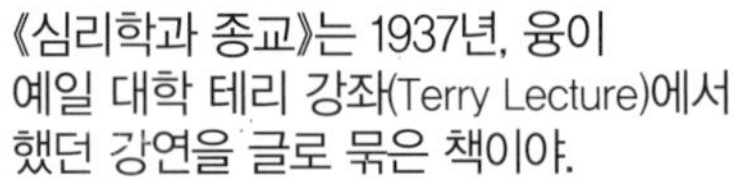
《심리학과 종교》는 1937년, 융이
예일 대학 테리 강좌(Terry Lecture)에서
했던 강연을 글로 묶은 책이야.

YALE UNIV.

테리 강좌는 미국의 드와이트 테리(Dwight Terry)라는 사람이 연 것으로 1923년부터 지금까지 운영되고 있어.

과학과 철학의 관점에서 종교를 재조명하는 것이 테리 강좌의 주된 내용이야.

종교

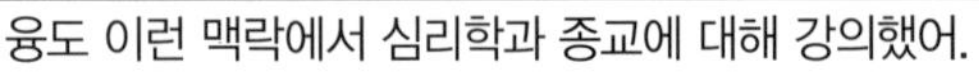
융도 이런 맥락에서 심리학과 종교에 대해 강의했어.

특히 그의 강의는 심리학의 관점에서 종교를 살펴보고 있지.

허허….

《심리학과 종교》를 이해하려면 먼저 심리학에 대해 알아야 해.

심리학은 인간의 심리를 연구하는 학문이야.

심리학은 19세기 말부터 연구되기 시작했지.
심리학

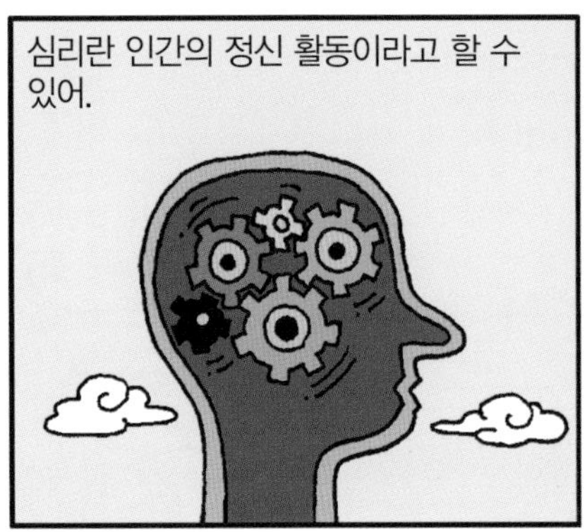
심리란 인간의 정신 활동이라고 할 수 있어.

오래전부터 철학자들은 인간의 정신 활동에 대해 연구했어.

그러다 19세기 중반 독일의 빌헬름 분트(Wilhelm Wundt)라는 학자가 본격적으로 인간의 심리 활동을 연구하기 시작했지.
빌헬름 분트
(1832~1920)

이때부터 심리학이 하나의 학문으로 자리 잡게 되었어.
심리학

그 뒤로 프로이트나 융과 같은 이들이 정신 분석학자로서 활발하게 활동했고 심리학도 학문으로서 체계를 갖추기 시작했지.
부릉~
준비 끝! 달려 볼까요?
심리학

그런데 정신 분석학과 심리학은 무슨 관계일까?
심리학
정신 분석학

정신 분석학은 심리학의 한 분야에 속해.
심리학
정신 분석학

심리학은 인간의 행동과 심리를 과학적으로 연구하는 학문인데
이 집 고기 맛있네~. 2인분 추가!
식신?

정신 분석학은 그중에서도 무의식이 인간의 행동과 사고에 어떤 영향을 미치는지 알아내지.
빨리 출근해야 해.
안 그럼 부장님께 혼나….
몽유병?

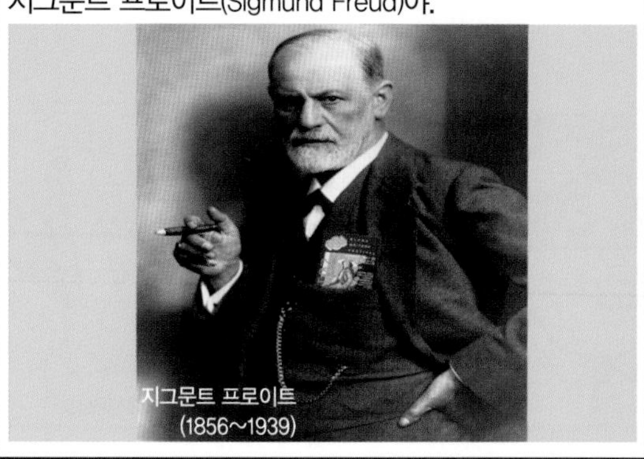
처음으로 정신 분석학을 연구하기 시작한 사람은
지그문트 프로이트(Sigmund Freud)야.

지그문트 프로이트
(1856~1939)

처음에 융은 프로이트 밑에서 정신 분석학을 연구하다가
나중에 자신의 학문을 독자적으로 발전시켜 나갔지.
안녕~!

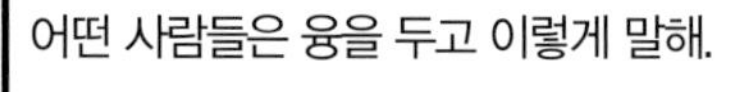
어떤 사람들은 융을 두고 이렇게 말해.

프로이트의 생각을
훔친 나쁜 사람!

하지만 그건 오해야.

융의 정신 분석학 이론의 기초는 대부분
프로이트를 만나기 전부터 형성되었거든.
반갑습니다,
프로이트 씨.
정신 분석학
이론의 기초

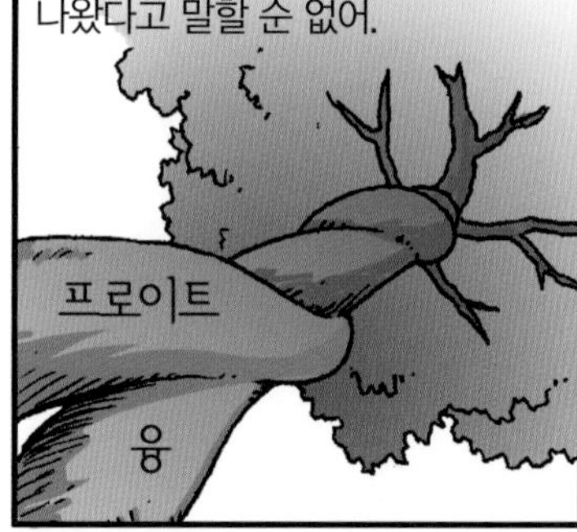
그래서 융의 이론이 프로이트로부터
나왔다고 말할 순 없어.
프로이트
융

물론 두 이론은 무의식을 연구했다는
점에서 비슷하기도 해.
무
의
식

융과 프로이트의 이론을 비교해 보면
융의 이론을 더 잘 이해할 수 있을
거야.
융
프로이트

종교에 대한 융의 생각을 알아보기
전에 프로이트의 생각부터
살펴볼까?
종교

융과 프로이트는 모두 신경증
환자들을 치료하면서 자신의 이론을
발전시켰어.
귀신이
보여요~!
정신 분석학

그런데 이때 프로이트는 놀라운 사실을
알아냈어.
흠….

신경증 환자들이 보이는 강박적 행위와 신앙 생활에 대한
종교인들의 집착이 매우 비슷하다는 점을 깨닫게 된 것이지.
이럴 수가!
엄마, 저를 용서해 주세요! 제발!
신이시여, 제발 저를 용서해 주세요!
더 자세히 살펴볼까?
프로이트
신경증 환자
창문을 잘 잠그고
가스도 잠갔으니 이제 외출해 볼까?
벌컥!
창문과 가스를 안 잠근 것 같아!
종교인
피곤해.
쿨쿨….
내가 졸다니!
할렐루야!
신경증 환자와 일부 종교인은 특정한 행위를 하지 않을 경우 불안에 휩싸입니다.
특히 신경증 환자는 신이 내리는 벌을 매우 두려워하지요.

신경증은 개인적인 차원의 이야기지만, 종교는 보편적인 강박 신경증입니다.

프로이트는 종교와 신경증이 유사하다고 생각했어.
추락하면 어쩌지?

그러나 융의 생각은 프로이트와 달랐어. 융은 종교가 자아 실현을 위한 과정이라고 여겼거든.

그렇지만 심리학을 연구하는
태도는 서로 많이 닮았지.
흠….
심리학
심리학

융과 프로이트 모두 무의식을
중요하게 여기고 이를 연구했어.
내
존재도
중요?
너무
똑같은 거
아냐?

무의식은 우리가 인지할 수 없는
부분이기 때문에 과학적으로
실험할 수 없어.
비과학적!
흑~!

그럼 융의 이론은 비과학적일까? 융은
《심리학과 종교》의 첫 부분에서 다음과
같이 말했어.
단지 한 사람이 어떤
관념을 갖고 있다면
이것은 주관적인
심리 현상입니다.

그러나 사회 구성원 대부분이
그러한 관념을 갖고 있다면 이것은
객관적 현상이 될 수 있습니다.

즉, 자연 과학을
연구하는 것과
같습니다.

융은 많은 사람들이 같은 생각을 하고
있다면 그것은 객관적인 사실이 되고

그것을 연구하는 학문 역시
과학적이라고 생각했어.

사실 무엇이 과학이고 과학이
아닌지는 딱 잘라 단정 짓기 어려워.

그렇지만 일반적으로 우리가 말하는
과학이란 실험과 검증을 통해
객관적으로 관찰하는 학문을 말해.

이 기준대로라면 융의 이론은
과학적이라고 말하기 어려워.

사실 많은 이들이 융의 이론이
과학적이지 않다며 비판해 왔어.
이상한
이론이야!

하지만 융은 자신의 학문을
과학적이라고 여겼어.

그는 항상 심리학적인 관점을
유지하려고 했지.

융은 자신의 지식과 체험을 바탕으로
학문의 체계를 세웠던 거야.
학문

융은 프로이트와 달리 어떤 상황에서든
맞아떨어지는 만병통치약과 같은 이론은
주장하지 않았어.
난 나의 길을
갈 거라고.

융은 어떤 사람의 내면 세계를 틀에
맞추어 분석할 수는 없다고 생각했지.

이런 생각의 차이 때문에
융과 프로이트가 서로
갈라선 거야.

융은 인간의 내면은 지극히 사적인 영역이라고 생각했어.

융은 개개인의 생각을 존중했지.

그는 영혼이 결여된 심리학은
엉터리라고 했어.
우워…
가치
없어~!

융은 대학에서 연구되는 대부분의
심리학 활동을 두고 '인간의 행동에
대한 연구'라고 말했단다.
우리한테
영혼이 없대.
으…
우어~!

이는 당시 한창 유행했던
'행동 심리학'을 비판한 거야.

융은 행동 심리학이 영혼이 결여된 이성을 대상으로 한다며 비판했어.

그는 인간이 영혼을 갖고 있다고 생각했어.

사람들은 저마다 다른 영혼을 갖고 있습니다. 그렇기 때문에 사람마다 다른 치료로 접근해야 합니다.

융은 프로이트처럼 무의식을 탐구했지만,

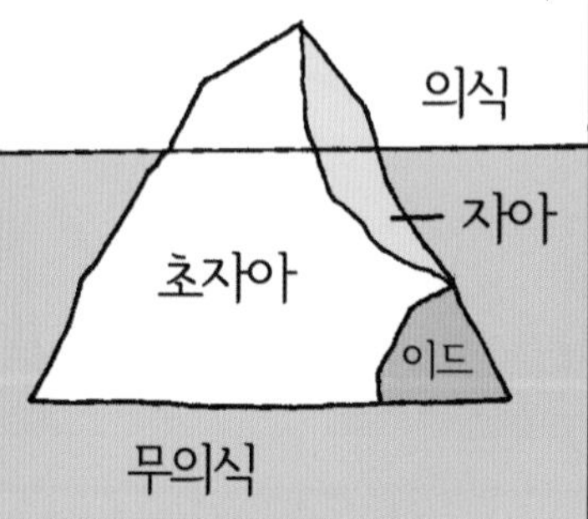
프로이트와는 달리 특정한 이론이 없었어.
의식
자아
초자아
이드
무의식

그는 새로운 환자를 만나면 늘 다른 방식으로 접근했지.
톡톡.
이건 무슨 치료지?

이런 방식은 체계적이지 못하다는 단점을 안고 있지만

모든 것을 열린 마음으로 접근할 수 있다는 장점이 있어.

덕분에 융은 다른 심리학자들은 엄두도 내지 못했던 신화, 연금술, 영지주의 등 다양한 영역까지 심리학의 연구 대상으로 삼을 수 있었지.

앞에서 말했지만 프로이트는 종교 현상을 신경증과 유사하다고 여겼어.

신경증
종교 현상

당연히 프로이트는 어떤 종교도 믿지 않았지.

융도 종교가 없는 것은 마찬가지였지만 종교에 대한 생각은 달랐어.

하이~!
욜!

1959년, 융은 영국방송공사(BBC)의 프로그램에 출연했어.

FACE to FACE

당신은 신을 믿습니까?
나는 신을 믿지 않습니다. 그러나 나는 신을 압니다.
FACE
BBC
FAC

융의 이 말은 대체 무슨 뜻일까?

이걸 이해하면 《심리학과 종교》를 절반은 이해한 셈이야.
심리학과 종교

융의 말을 이해하려면 먼저 영지주의를 알아야 해.

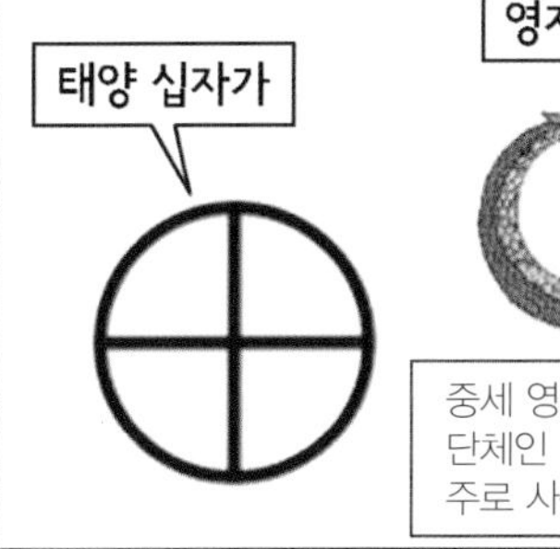
태양 십자가
영지주의 상징

중세 영지주의 관련 단체인 카타리파에 의해 주로 사용되었던 표장

영지주의는 영혼과 정신은 선하고, 육(육체)과 물질은 악하다는 극단적인 생각에 바탕을 둔 종교 이론이야.

영지주의자들은 구약의 창조주를 물질을 만든 저급한 신으로 보았고,

절대 술 먹고 만든 거 아님…
벌벌~

선한 그리스도의 영이 악한 인간의 육체 안에 있다는 사실을 받아들이지 않았어.

이 죄 많은 인간에게 그리스도의 영이 들었다고?

우헤헤

또한 영지주의자들은 육체가 영혼을 가둔다고 생각했어.

肉

영지주의자들은 영혼을 육체로부터 해방시키기 위해 욕망을 눌러야 한다고 주장했어.

육체로부터
해방시켜 주세요~

그들은 예수가 이를 돕는다고 여겼어.

영지주의 운동은 약 3세기까지 로마 제국과 유럽, 지중해뿐만 아니라 중동과 페르시아까지 전파되고 발전했어.

지중해
영지주의 전파 지역
이집트
아라비아

그러나 4세기에 이르러 가톨릭 교회가 영지주의를 탄압하면서 세력이 크게 위축되었지.

그 뒤 19세기 후반부터 20세기에 걸쳐 영지주의 사상이 잠시 부활해.

이는 유럽과 북아메리카의 신비주의적 사상에 큰 영향을 끼쳤어.

나도 그 영향을
받았지.

유대교 신비주의(카빌라)를 상징하는 그림들

융은 프로이트와 헤어지고 자신만의 길을 걷던 시기인 1918년부터 1926년 사이에 영지주의를 집중적으로 연구했어.

그는 신은 믿지 않았지만 신을 경험했다고 믿었던 것 같아.

융은 자기 마음속에 존재하는 신을 만났다고 생각했지.

융은 의식이, 무의식에서 말하는 신의 목소리를 경청해야 한다고 강조했어.

그는 영지주의자들의 주장에 숨어 있는 무의식적인 의미를 연구했지.

《심리학과 종교》도 사람들이 각자의 무의식이 지향하는 종교를 발견하도록 도와준단다.

한편 융은 영지주의를 통해 연금술을 접하고 나서

한동안 연금술 관련 서적들에 푹 빠졌어.

1926년 어느 날, 융은 연금술과 관련된 꿈을 꿨어.

꿈에서 융은 으리으리한 저택에 들어갔어.
저벅

그런데 커다란 문이 닫히는 소리와 함께 이런 말이 들려왔지.
너는 17세기에 갇히게 되었다!
쿵
이게… 뭔 소리야?

처음에는 이 꿈의 의미를 깨닫지 못했어.
가위에 눌렸군….
벌떡
이런 황당한 꿈을 봤나….

그러다 2년 뒤인 1928년, 중국을 연구하던 동료 학자로부터 중국의 연금술서 《태을금화종지》를 받고 깜짝 놀랐어.
내가 바로 《태을금화종지》를 지은 여동빈이야.
太乙金華宗旨

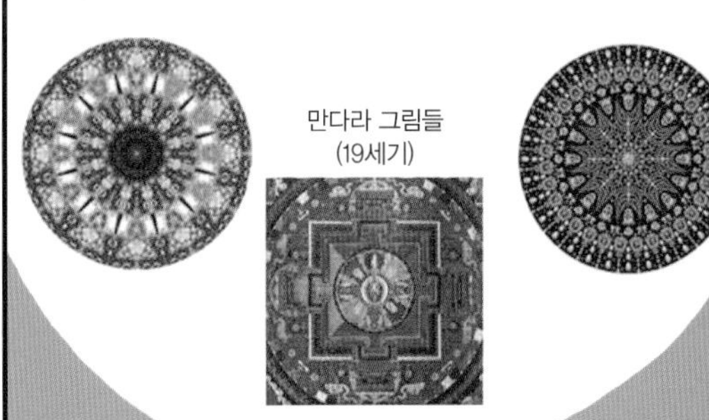
그 책에는 융이 꿈속에서 자주 보았던 *만다라 그림이 실려 있었거든.
만다라 그림들
(19세기)

이후 융은 서양 연금술에 대해서도 연구하기 시작했어.

* 만다라: 우주의 온갖 덕을 망라한 깨달음의 세계를 형상화하여 그림으로 나타낸 불화(佛畫)의 하나.

나중에 융은 이 일을 이렇게 회상했지.
나의 분석 심리학이 연금술과 정말 관련이 깊다는 것을 알았어.

연금술사들의 체험이 곧 나의 체험이나 다름없었어.

《심리학과 종교》는 한 신경증 환자의 증상을 분석한 책이야.
낙엽이 무서워….

일종의 임상 보고서지.

일반적으로 신경증이란 치료가 필요한 병이라고 생각하잖아?
톡톡.

프로이트도 마찬가지였어.
식후 두 알씩 드시오.

그런데 융은 신경증을 대하는 태도가 좀 달랐어.

융은 신경증이 발생하게 된 이유를 알아내고 그것을 없애는 것이 아니라,

오히려 신경증을 심화, 발전시키는 것을 목표로 삼았거든.
휙~
왈왈~
물어 왓~!

융은 의식이 무의식의 욕구를 충분히 활용하지 못할 때 신경증이 나타난다고 생각했어.

1945년 융은 독일의 인류학자 마르틴(P. W. Martin)에게 이런 편지를 보냈어.

나는 신경증을 치료하는 것보다는
신경증이 가진 어떠한 힘을 깨닫는 것에
관심이 있습니다.
신경증이 알려 주는 신성한 힘을
경험하면 우리는 병의 저주로부터
풀려날 수 있을지도 모릅니다.

융이 쓴 《심리학과 종교》에는 신경증의 치료보다도 환자가 꾼 꿈의 내용이나 환각 증상에 대한 분석에 집중하고 있지.

사실 이런 방식은 오늘날 정신 의학의 입장에서 보면 아주 위험해.

안 돼!
21세기

환자가 보이는 환각 증상은 비현실적인 경우가 많기 때문이지.

《심리학과 종교》는 세 개의 장으로 나뉘어져 있어.

제1장: 무의식의 자율성(The Autonomy Unconscious Mind)
제2장: 도그마와 자연적 상징(Dogma and Natural Symbol)
제3장: 자연적 상징의 역사와 심리(The History and Psychology of a Natural Symbol)

각 장의 내용은 서로 연결되어 있어.

제1장
제2장
제3장

《심리학과 종교》를 이해하기 위해서는 심리학, 종교, 무의식, 도그마, 상징 등과 같은 용어들을 제대로 이해해야 해.

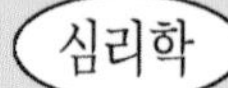
심리학

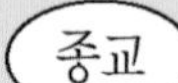
종교

무의식

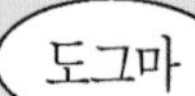
도그마

상징

심리학, 종교에 대해서는
앞에서 간단히 이야기했으니까
여기서는 그냥 넘어가도록 하자.

이번에는 무의식이 무엇인지 알아보자.
레드 썬!

무의식의 사전적 의미는 '의식이 없는 상태'야.

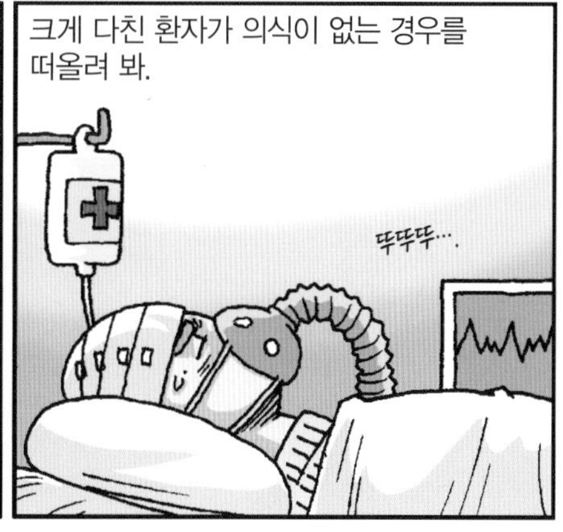
크게 다친 환자가 의식이 없는 경우를 떠올려 봐.
뚜뚜뚜….

우리가 일상생활에서 사용하는 무의식이라는 말은 그런 상태를 가리키지.

한편 정신 분석학에서 무의식이란 '의식되지 않은 상태'를 말해.
수면 상태도 무의식….

융과 프로이트가 말하는 무의식이란 의식이 근접할 수 없는 부분을 가리키는 말이야.
무의식
의식

그들은 무의식이 그 자체로 법칙과 기능을 지닌 심리 구조라고 보았어.
무의식
법칙
기능

특히 무의식은 우리가 의식하지 못하지만 일정한 법칙성이 있다고 강조했지.
무의식

융이 제1장의 제목을 '무의식의 자율성'이라고 정한 것도 이와 같은 맥락에서야.

무의식의 세계가 나름의 자율적인 법칙을 가지고 있다는 의미에서 '무의식의 자율성'이라고 이름 붙인 거야.
무의식
의식 세계

무의식이란
우리가 의식하지
못하는 거잖아?

그런데 어떻게 우리가
무의식 세계의 법칙성을
발견할 수 있어?

그래서 융이
과학적이지 않다는
비난을 듣기도 해.
하지만 내
생각은 달라.

과학적이지 않더라도
인간의 심리 현상을
이해하는 데 도움을
주면 좋잖아?

맞아! 아무리 과학이
발전했어도 우리의 마음을
읽을 순 없지.

그래, 프로이트나 융의 이론을
비과학적이라고 무시할 수는 없어.
모두 나름의 의미가 있으니까.

물론 융과 프로이트가 무의식의 개념을 똑같이 정의 내린다고 해도, 구체적으로는 다른 점이 많아.

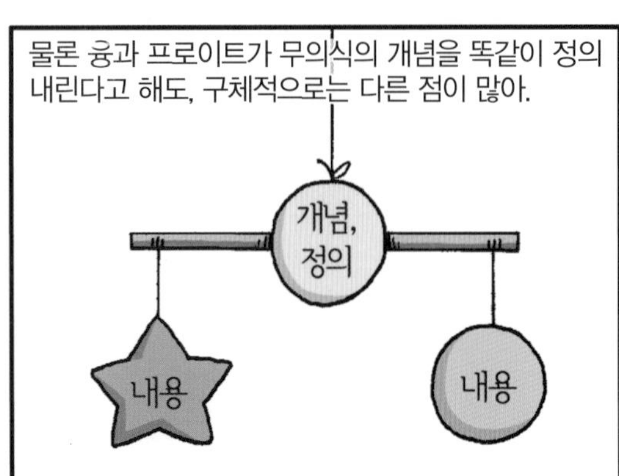
개념,
정의
내용
내용

프로이트는 무의식을 주로 의식에 억압된 원시적이고 본능적인 욕구로 이해했지만

따랑해!
(사랑해!)

융은 그렇게 단순하게 생각하지 않았어.

의식
무의식

융은 개인의 경험을 초월하여

인류 역사를 통해 오랜 세월 동안
쌓인 보편적인 체험들,

그러니까 인류가 함께 공유하게 된
무의식이 있다고 주장했어.

융은 이것을 '집단 무의식'이라고 했어.
무의식

'원형'이라는 말을 한 번쯤은
들어 봤을 거야.

원형(archetype)이란 인종이나
문화, 전통과 관계없이 인간이면
누구나 태어날 때부터 지니고 있는
원초적인 것을 말해.
응애

융은 이런 수많은 원형들이 모여 집단
무의식을 구성한다고 주장했지.
무의식

아니마, 아니무스, 그림자와
같은 것들이 여기에 해당돼.
자세한 건 앞으로 설명할게!

바로 이런 원형들을 집단 무의식의
예로 볼 수 있어.
아니마
아니무스
그림자

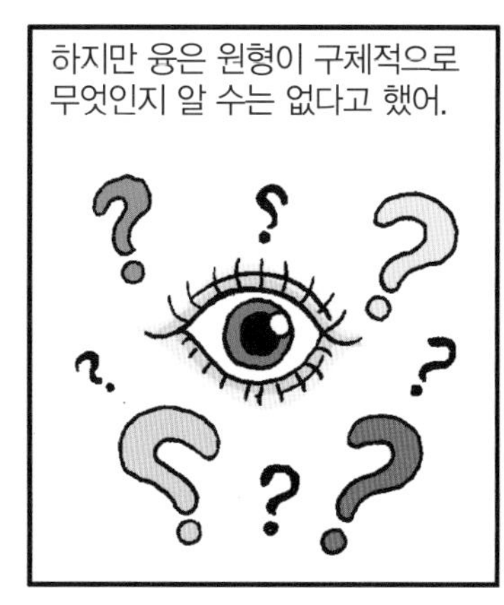
하지만 융은 원형이 구체적으로
무엇인지 알 수는 없다고 했어.

원형의 모습이 상징, 즉 이미지라는 간접적
형태로 나타나기 때문이지.
사랑!
평화!
여성!

융이 말하는 상징이
무엇이냐고?

우리는 보통 비둘기를 평화의 상징이라고 하고, 왕관을 왕위의 상징이라고 하지.

왕위
평화

이처럼 상징(symbol)이란 우리의 감각 기관으로 지각할 수 없는 추상적인 가치를 구체적인 사물이나 이미지로 나타내는 것을 말해.

HAECHI
SEOUL
PEACE
위험
DANGER

또한 어떤 사물이나 관념을 전달하는 매개체 역할을 하는 것을 통틀어 이르는 말이기도 해.

사물
상징
관념

상징이라는 개념은 매우 폭넓게 사용되지.

상징
상징
상징

따라서 상징을 만든 사람이 그 안에 어떤 의미를 담았는지 주의 깊게 살펴봐야 해.

융은 도무지 본질을 알 수 없는 무의식이 상징을 통해 표현된다고 생각했어.

상징

상징을 무의식 활동의 산물로 여긴 것이지.

무의식

꿈이란 무의식적인 활동입니다.
맞습니다.
프로이트
융

인간이 가진 성적인 욕구는 꿈에서조차 그대로 드러나지 않아요.
욕구들은 꿈속에서 상징을 통해 변형되어 드러나기도 합니다.

꿈의 상징은 무엇을 어떻게 표현하나요?

대개의 경우 성적인 것을 나타냅니다.
지팡이, 몽둥이, 권총은 남성 성기를 상징하고,
구멍, 가마솥은 여성 성기를, 춤이나 승마는 쾌락을 상징합니다.

그럼 상징은 오로지 꿈속에서 성적인 것들로 나타나는 건가요?

꼭 그런 것은 아닙니다.
상징은 꿈뿐만 아니라 신화나 동화에서도 많이 나타납니다.

또 신경증 환자들은 상징을 통해 증상이 나타납니다.

상징은 모든 인간과 인종에 공통적으로 적용됩니다.
상징은 무의식에 속하는 영역입니다.

신화에도 상징이 쓰인다는데, 그게 정말인가요?

그렇습니다. 신화를 이해하려면 수많은 상징을 알아야 합니다.

궁금한 게 있어요. 자연적 상징이 뭔가요?

자연적 상징이란 말 그대로 의식적인 노력 없이 무의식에서 자발적으로 나타나는 상징을 의미합니다.
벌써 가을이 왔군~.

이제 도그마(dogma)의 의미를 알아볼까?
도그마

도그마란 '독단'이라고 번역되기도 하는데, 본래 가톨릭교회에서 '신앙의 진리는 불변의 교리'라는 뜻으로 썼던 말이야.

신자는 교리를 비판할 수 없으며 무조건 믿어야 한다는 뜻이지.

기독교의 핵심 도그마로는 삼위일체, 원죄 등을 들 수 있어.
삼위일체
도그마
원죄
이런 도그마를 부정하면 기독교인이라고 할 수 없지.

오늘날에는 충분한 근거 없이 맹목적으로 믿는 주장을 가리켜 도그마라 부르기도 해.
나치즘도?

그래서 도그마는 나쁜 의미로 사용되는 경우가 많아.

실제로 영어에서 'dogmatic'이라는 말은 '독단적'이라는 부정적인 의미를 갖고 있단다.
도그마

그런데 융은 종교는 도그마, 즉 교리(creed)와 다르다고 주장했어.
종교
도그마
교리

기독교 교리에 어긋난다고 해서 그것이 종교에 반한다고 할 순 없다는 거야.

융의 말대로 종교와 교리는 다른 거니까.

융은 《심리학과 종교》에서 기독교의 대표적 도그마인 삼위일체를 비판했어.

삼위일체

융은 삼위일체라는 기독교의 핵심적인 도그마가 현대인을 만족시키지 못한다고 생각했어.

삼위일체론

그래서 많은 사람들이 어떻게 살아야 하는지 모르고 고통받는다고 주장했지.

비싼 차.
좋은 집.
다 가졌는데도 늘 행복하지 않아….

종교는 인간의 본질적인 욕구에 따라 자연스럽게 발생합니다.

인간이 균형을 이루는 데 종교는 반드시 필요하지요.

그러나 오늘날 기독교가 그 역할을 다하지 못하고 있습니다.
뎅~
뎅~

융은 종교가 인간에게 있어 매우 큰 역할을 한다고 믿었어.

융은 영혼이 정신적인 질병은 물론 육체적인 병까지도 치유할 수 있다고 여겼어.

가톨릭교에서 말하는 '영적인 치유'라는 개념을 인정했던 거야.

융에 따르면 무의식 세계에 있는 것들이 언젠가 의식 세계로 나오게 되는데

쏴아
의식 세계

이때 의식이 무의식을
포용하면 비로소 치유가 되고
치유

자기(Self)가 완성된다고 믿었어.

신의 말씀을 통해
영혼을 돌봐야
합니다.

이봐요. 옛날에는
성직자가 영혼을
돌보았지만 지금은
달라졌습니다.

뭐가 달라졌단
말이오?
교회가 구시대적인
도그마에서 벗어나지 못하고
있는 동안, 정신 분석학이 영적인
세계를 알아내고 있습니다.

저는 불안합니다.
그런데 교회도 도움이
되지 않습니다.
이제 전
어떻게 해야
하죠?
신경증
환자
당신의 영혼을
가만히 들여다보세요.

네? 제 영혼
이라고요?
내면의 소리를
잘 들어 보세요.
당신이 지난밤
꾼 꿈에 모든 답이
있답니다.

제 꿈은 도무지
이해할 수 없고,
가끔은
해괴망측하기도
한걸요.
훌쩍

괜찮으니 마음을 편하게 가지세요.
고정 관념에서 벗어나지 않으면
영혼을 돌볼 수 없답니다.
힘내시고...

융은 정신 분석학을 공부한
의사라면 환자가 의미 있는 삶을
살도록 도와야 한다고 생각했어.

또한 좋은 의사는 환자로부터
치료의 실마리를 자연스럽게 얻어
내는 사람이라고 했지.
조심~.

이때 종교적 경험이 매우 중요한
역할을 한다고 말했어.

융은 종교적 경험을 설명하기 위해 '누미노제(numinose)'라는 개념을 인용했어.

누미노제

누미노제는 독일의 신학자 루돌프 오토가 처음 사용한 말이야. 인간이 거룩한 존재 앞에 섰을 때 자신이 신 아래에 있음을 본능적으로 깨닫게 되는 체험을 이르지.

루돌프 오토
(1869~1937)

누미노제에는 신비롭고 두렵고 떨리는 요소가 들어 있어.

딱
나네~.

누미노제는 말로 표현할 수 없으며 다만 암시될 수 있을 뿐이야.

누미노제를 경험하는 대부분의 사람들은 그것을 받아들입니다. 그 굉장한 힘 앞에서는 이성적인 판단도 의미 없지요.
쿵

누미노제는 종교가 아닌 신화, 혹은 예술 등에서도 찾아볼 수 있습니다.
다각

자, 정리해 보면 융은 기독교가 인간의 발달 속도를 따라가지 못한다고 생각했어.

또한 원시 기독교를 비롯한 많은 종교, 특히 연금술에 나타난 치유의 상징을 연구하면서

고통당하는 현대인에게 새로운 구원의 상징이 있음을 알려 주려 노력했지.

융은 《삼위일체 도그마에 대한 심리학적 접근(1940년)》, 《미사에서의 변환의 상징(1941년)》 등의 책에 이러한 내용을 담았지.

우리가 공부할
《심리학과 종교》도
이에 관한 책이야.

《심리학과 종교》는 융이 심리학자로서 종교를 어떻게 생각하고 바라보는지 알 수 있는 책이란다.

2장

칼 구스타브 융의 일생

융은 1875년 7월 26일에 스위스의 투르가우(Thurgau) 주 케스빌(Kesswil)에서 태어났어.

케스빌
보덴제
호수
스위스

1856년에 태어난 프로이트와는 열아홉 살 차이가 나지.

케스빌에는 아름다운 호수가 있었는데, 융은 이곳을 참 좋아했어.

햇빛은 수면에 반짝이고,
파도는 호숫가로 밀려와
모래에 잔무늬를 만드네.
뿌우~

난 나중에 어른이 되면
이 호수 옆에 살 거야.

융은 자신의 경험을 분석하여 심리학을 연구한 사람이야.

자신이 직접 꾼 꿈이나 순간순간 스쳐 가는 환상들을 기억해 이를 분석했지.
음…, 꿈에 나왔던 게… 유니콘과 말….

또한 융이 어린 시절 겪었던 경험도 많은 부분을 차지해.

융의 아버지, 폴 융은 가난한 시골 마을의 개신교 목사였어.

그는 돈 많은 명문가 출신의 교수인 사무엘 프라이스베르크에게 히브리 어를 배웠는데

이것을 인연으로 교수의 막내딸인 에밀리 프라이스베르크와 결혼하게 됐어.

융이 태어난 지 6개월 정도 됐을 무렵, 융 가족은 케스빌보다 조금 더 잘 사는 지역인 라우펜으로 이사를 갔어.

그런데 이때부터 융의 아버지와 어머니 사이에 갈등이 시작되었다고 해.

어머니는 몇 달 동안 근처 도시의 병원에 입원했어.

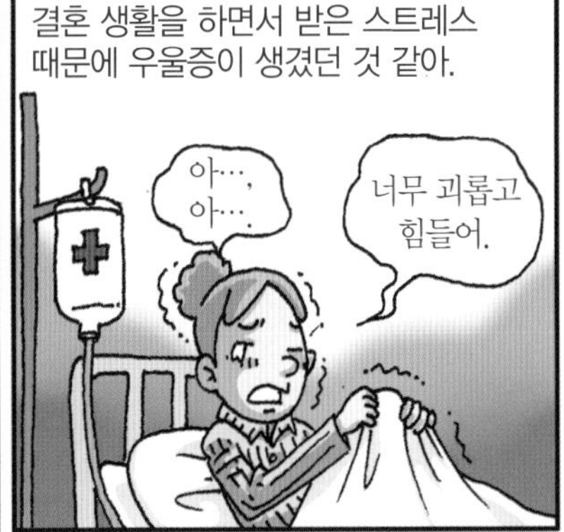
결혼 생활을 하면서 받은 스트레스 때문에 우울증이 생겼던 것 같아.
아…, 아….
너무 괴롭고 힘들어.

이 때문에 융은 오랜 기간 동안
어머니와 떨어져 지내야 했어.
히힝

융은 친척 아주머니와 함께 살았지.
칼, 뭐 먹고 싶니?

하지만 아주머니는 융의 허전한 마음을 채우지 못했고, 융은 피부 습진을 앓게 됐지.
엄마가 보고 싶어~.

어머니에 대한 불행한 기억은 융의 의식에 많은 영향을 주었어.

융은 점차 '사랑'과 '여성'이라는 말을 믿지 못하게 됐지.

융에게 큰 영향을 미쳤던 또 다른 사건이 있어.

융이 네 살 정도 되었을 때의 일이야.
아악!
출렁.
도련님!

다리에서 떨어질 뻔한 융은 다행히 하녀 덕분에 위험을 피했어.
꽉!

이 사건은 융의 의식에 큰 영향을 미쳤어.
이 일로 인해 나는 뒷날 무의식적인 자살 충동을 이겨 낼 수 있는 힘을 갖게 되었습니다.
융(30세)

융은 이런 일을 겪은 뒤부터
밤마다 막연한 불안감에
휩싸이곤 했어.

그리고 환상을
경험했지.
대체 그 환상이
무엇이었느냐고?

어디선가 거친
폭포 소리가
들려왔습니다.

주위에는 물에 빠진 시체들이
널려 있었어요.

근처 묘지에서는 교회
관리인이 구덩이를
파고 있었고요.

검은 코트에 긴 모자를 쓰고
검정 구두를 신은 사람들이 엄숙한
표정으로 기다란 상자를 날랐어요.
그 상자는 바로 관이었지요.

목사복을 입은 아버지 곁에서
여인들이 울고 있었어요.

그런데 갑자기 주위에 있던
사람들이 사라졌어요.

사람들은 나에게 그들이
모두 예수님 곁으로
갔다고 했습니다.

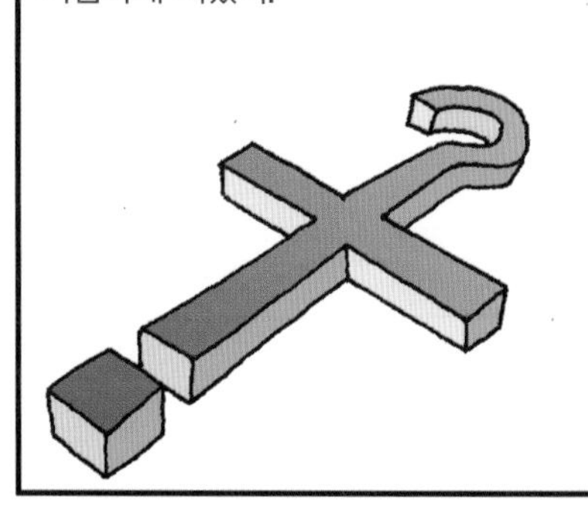
이 환상 때문에 융은 예수의 존재를
의심하게 되었어.

융은 예수를 다정하며 자비로운
천사의 모습이 아닌

검은 옷과 모자, 검정 구두를 신고
관을 나르는 사람들과 연관된 존재로
인식했어.

여기서 환상이란 일종의 환각 같은
거야.

실제로 일어나지 않은 일인데도
소리가 들린다고 느끼고,

눈앞에서 기이한 일이 벌어진다고
생각하게 되지.

그런가 하면 바로 이 무렵에 융은
그에게 일생 동안 영향을 미친 꿈을
꾸었어.
어떤 꿈인지
궁금하다고?

라우펜 성 근처에
홀로 외롭게 서 있는
목사관이 보였어요.

교회 관리인의 집
뒤쪽으로는 넓은 초원이
펼쳐져 있었습니다.

나는 그 초원에
서 있었어요.

그러다 직사각형 모양의
구멍이 땅바닥에 나 있는
것을 발견했습니다.

호기심이 생긴 나는
그 구멍을
들여다보았습니다.

그러자 구멍 아래
돌계단이 있는 것이
보였지요.

난 무서워
떨면서도 아래로
내려갔습니다.

계단을 내려가자
녹색 커튼이 쳐진
아치형의 문이 하나
있었습니다.

그 커튼은 비단으로 만든 듯
고급스러워 보였어요.

커튼 뒤에 무엇이
있을지 궁금해 커튼을
밀쳐 보았더니,

길이 10미터쯤 되는
길쭉한 방이
보였습니다.

둥근 천장과 바닥은
모두 돌로 되어
있었어요.

단 위에는 화려한 황금 의자가
있고, 의자 위에는 붉은 방석이
깔려 있었지요.

황금 의자에는 높이가
5미터는 족히 될 정도로
거대한 무언가가
있었어요.

그것은 마치 사람 같았어요.
얼굴도 머리카락도 없이
둥근 머리만 있었고 피부는
사람과 비슷했지요.

정수리에는 눈이 하나
있었는데 그 눈은 위쪽을
응시하고 있었습니다.

머리 위에는
밝은 기운이 감돌고
있었어요.

나는 두려워서 온몸이
마비되는 것 같았죠.
어느 순간 그것이 꿈틀거리며
나에게 기어 올 것 같았어요.

그때 어디선가 어머니의
외침이 들려왔습니다.
저건 사람을
잡아먹는 거야!

잠에서 깬 융의 몸은 온통 땀으로
범벅이 되어 있었지.
어…
어머니….

그 뒤로 융은 또 같은 꿈을 꾸게
될까 봐 잠들기가 무서워졌어.

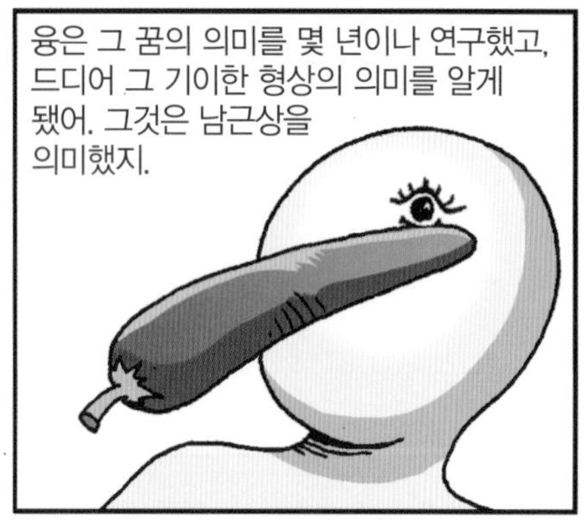
융은 그 꿈의 의미를 몇 년이나 연구했고,
드디어 그 기이한 형상의 의미를 알게
됐어. 그것은 남근상을
의미했지.

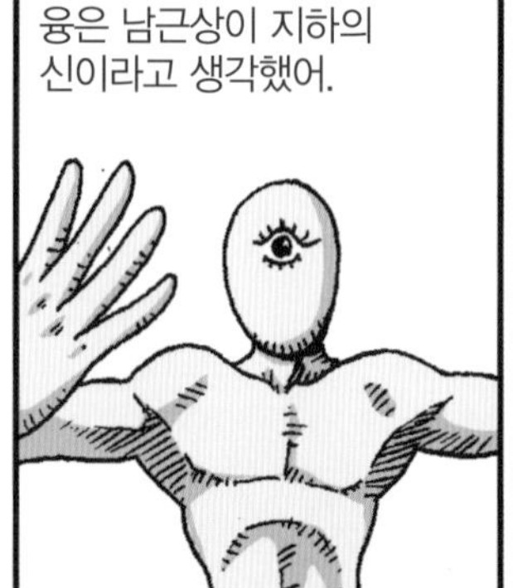
융은 남근상이 지하의
신이라고 생각했어.

누군가 예수님을 이야기할
때마다 융은 그 남근상을
떠올렸지.

이런 환상 때문에 어린 융에게 '주 예수'는 믿고
따를 만한 대상이 아니었어.
예수는
지하의
신이야.

사랑하는
주 예수.

천사라고?
날개 달린 사람이
어디 있어?

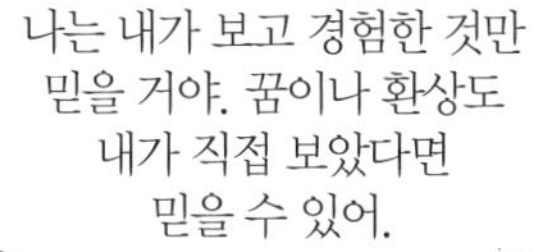
나는 내가 보고 경험한 것만
믿을 거야. 꿈이나 환상도
내가 직접 보았다면
믿을 수 있어.

하지만 날개 달린
천사는 직접 보지
못했는걸.
그러니
믿을 수 없어.

융의 가족은 라우펜에서 3년을 산 뒤,
1879년 클라인위닝겐으로 이사를 했어.
이곳은
우리 외가와
가까워.

친정이 가까이 있어서인지 융의
어머니는 조금씩 안정을 찾았어.

융과 어머니의 관계도
좋아졌어.

융은 종종 어머니에게 다른 나라의
이야기가 담긴 책을 읽어 달라고
했지.

그는 다른 나라의 종교, 특히 인도 종교에
관한 책을 좋아했단다.
브라마,
바시누, 시바를
그린 그림이
너무 좋아!

융의 아버지는 그에게
라틴 어를 직접 가르쳐 주기도
했어.
라틴 어는
어렵지 않니?
재밌어요.

나는 학교에 들어가기 전에
이미 글을 읽을 수 있었어요.
그래서 학교에 다니는 것이
그리 싫지 않았습니다.

다른 아이들보다 늘
앞서 있었기 때문에
여유가 있었지요.
다음에도
잘하렴~.
부럽..

게다가 이제껏 혼자서만 놀다가
친구들을 사귀고 함께 놀게 되어
기쁘기까지 했지요.

그렇지만 나는 종종 혼자서 노는 것도 좋아했답니다. 일곱 살 때쯤에는 블록 놀이를 자주 했지요.
무너져라!
와르…

여덟 살부터 열한 살까지는 전쟁 그림을 그리기를 좋아했어요.
성을 함락하라!

또 연습장을 잉크 얼룩으로 가득 채우고는 그 얼룩들에 기발한 해석을 덧붙이며 즐거워했습니다.

융의 부모는 각각 다른 방을 사용했어.
드르르…
나는 주로 아버지 방에서 잠을 잤어.

융의 어머니는 대부분 혼자 지냈어. 우울증과 정신적인 혼란이 여전히 그녀를 따라다녔지.

어머니는 밤이면 귀신이 나타난다는 말을 자주 했는데 이 때문에 융도 공포에 시달리곤 했어.
헉~!

어느 날 어머니 방 근처에 있던 융은
뭔가 느낌이 이상해.
크크…
낄낄

어머니 방에서 무언가가 희미한 빛을 발하며 나오는 모습을 봤다고 해.
!

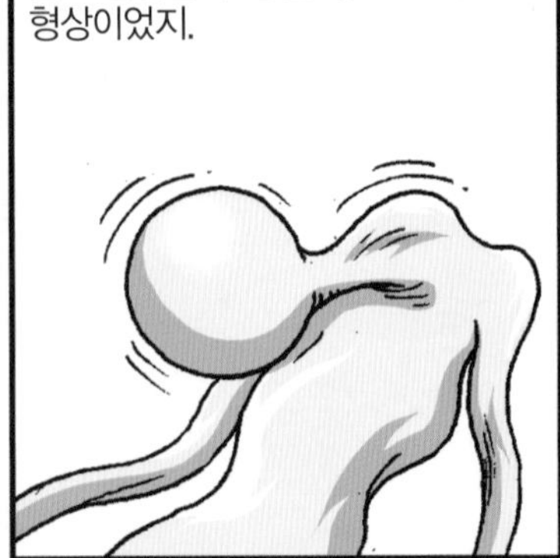
말로 설명할 수 없을 정도로 기이한 형상이었지.

사실 이건 융의 '환각 증상'이었어.

이 무렵 융은 가끔 발작을 일으키고는 했지.

으흐흡!
정신 차려! 칼!

나는 기이한 형상으로 머리 위에서 푸르게 빛나는 보름달만 한 원을 보았어요. 그 원 안쪽에 하얀 천사가 숨은 것 같았어요.

천사가 있다고 믿게 되어서인지 차츰 두려움이 사라져 갔죠.

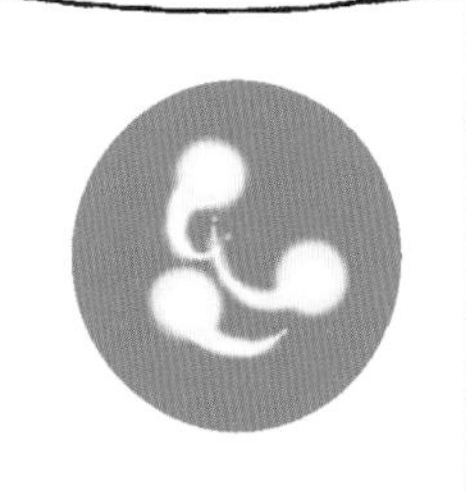

융이 아홉 살이 되었을 때 어머니는 여동생을 낳았어.

아버지는 무척 기뻐하며 융에게 이 사실을 알려 주었어.

정말요?

하지만 갑작스러운 여동생의 탄생은 융에게 큰 의문을 안겨 줬어.

?
옹알.

융은 어머니가 아기를 낳을 것이라고는 상상도 못 했거든.

사람들은 황새가 아이를 데려온다고 말하지.

그렇다면 강아지나 고양이 새끼는 어떻게 태어나지? 황새는 대체 몇 번을 왔다 갔다 해야 하는 거야?

바글…

또 황새는 엄청나게 큰 송아지를 어떻게 물어 오지?

파닥~

융은 답을 얻기 위해 농부들을 찾아가 물어보았어.

얘야, 소가 새끼를 낳은 것이지, 황새가 송아지를 물어 오는 것이 아니란다.

!

우리 어머니가 그렇게 말씀하셨단 말이에요. 어머니가 저에게 거짓말을 했단 말인가요?

초등학교 시절의 융에게 세상은 두 개였어.

이 '두 개의 세상'이라는 개념은 내가 평생 간직한 생각의 틀이기도 해.

하나는 '황금빛 햇살이 초록 잎들 사이로 비치는 밝고 아름다운 대낮 세상'이었고

대낮 세상에 있을 때는 친구들과 즐겁게 놀았어.

또 하나는 '융을 꼼짝 못 하게 하는 어둠의 세상'이었어.

낮의 세상은 밝고 좋지만
본래의 나 자신과는 다르게
행동하도록 유혹하지.

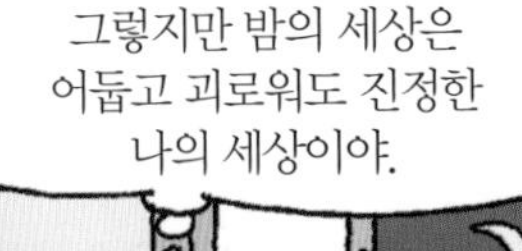
그렇지만 밤의 세상은
어둡고 괴로워도 진정한
나의 세상이야.

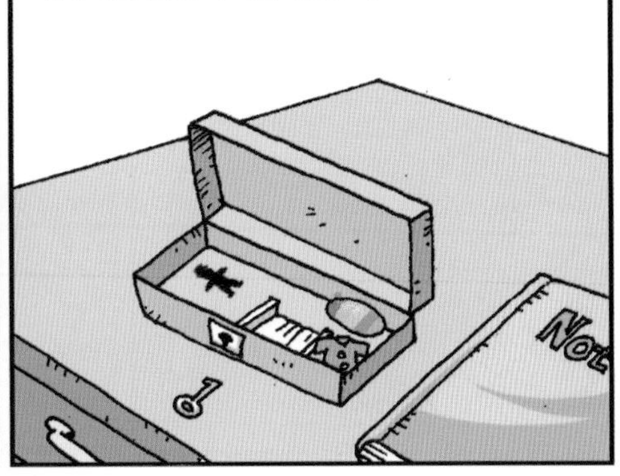
융은 노란색 필통을 갖고 다녔는데 여기에
이것저것 잡동사니를 넣었어.

융은 자 끝부분에 꿈에서 보았던
검은 코트와 높은 모자, 검정
구두를 신은 남자 그림을 새기고,

그 남자를 잉크로 까맣게 칠한 뒤
잘라 내어 필통에 넣어 두었단다.

남자를 위한 작은 침대와 옷도 만들어서
함께 넣어 두었지.

뿐만 아니라 자 옆에 라인
강에서 주워 온 길쭉한 돌을
놓아 두었어.

융이 알록달록 칠한 돌이었지.
이게
이 남자의
돌이야.

융은 그 필통을 다락방 구석에 감춰 놓고
가끔씩 흐뭇하게 쳐다보았어.
저기에 두면
아무도 볼 수
없겠지?

융은 그 누구도 자신의 비밀을
알아챌 수 없다고 생각했어.

휴, 이제 됐어.
지금은 괴롭지 않아.

융은 괴로울 때면 필통 안 침대에 누워 있는 남자와
곱게 칠한 돌을 생각하며 위안을 얻었지.
너희도 잘
지내지?

융은 마음이 아프고 우울할 때, 필통 속의 남자와 돌로부터 위안을 얻은 거야.

혼자라고 느껴질 때면 몰래 다락으로 올라가 필통을 열고 그 남자와 돌을 바라봤습니다.

융은 그 남자를 자신의 분신으로 생각했지.

아무도 모르는 곳에 분신을 만들어 놓고 엄숙한 의식을 치르면서 자신감과 만족감을 느꼈던 거야.

1886년, 열한 살이 된 융은 바젤에 있는 김나지움(9년제 중 · 고등학교)에 입학했어.
시골에서 도시로 가게 됐지.
GYMNASIU

바젤에 사는 사람들은 크고 화려한 저택에 살면서 멋진 마차를 타고 다녔어.

또한 융의 친구들은 좋은 옷을 입으며 세련된 예절을 뽐냈어.
내가 낼게. 넌 다음에 사렴.
됐어.
아….

이때 융은 처음으로 자기 집안이 가난하다는 사실을 깨달았단다.

융은 친구들과 달리 낡아빠져서 물이 새는 신발을 신고 다녀야 했거든.
찍… 찍….

융은 학교에서 배우는 대부분의 과목을 좋아했는데 수학만큼은 싫어했어.

수학 중에 특히 대수학! 학교에 가기 싫을 정도로 싫어!

대수학

a = b, b = c이면 c = a가 된다는 공식이 나를 엄청나게 화나게 했어요.
a ≠ b
수학 선생님
어떻게 a와 b가 같을 수 있죠? 그것부터 말이 되지 않아요. b와 c도 똑같이 취급될 수 없어요.

a = a, b = b는 맞지만
a = b라는 것은 거짓말이라고
생각했어요.

어느 날 아침, 융은 평소 자주
가던 교회 앞 광장에 서 있었어.

그런데 한 무리의 소년들이 융을 때리는
바람에, 융은 머리를 다쳤단다.
퍽
아앗!

이 일로 그는 학교에 가지
못하고 6개월 동안 요양하며
지냈어.

융의 몸에 난 상처는 회복되었지만
마음의 상처는 아물지 않았어.
도대체
무슨 병인지
도통….
휴~,
학교에 안 가서
너무 좋아.

융은 학교에 가지 못하는 게
좋으면서도 한편으론 불안하기도
했어.
언제까지
이렇게 지낼 순
없어.

그러던 어느 날, 융은 아버지가
친구에게 하는 말을 엿들었어.
아들이 계속 저러면
정말 큰일이야.

내 돈을 물려 주면 되겠지.
하지만 그 뒤에는 어쩌나?
그 돈을 다 쓴 뒤에는….

융은 그제서야 정신을 차렸지.
학교에 가자!
발작도
거짓말처럼
나았으니!
GYMNA

1895년, 스무 살이 된 융은
바젤 대학교에 입학했어.

융은 전공으로 단번에 제2철학, 즉 자연
과학을 선택했단다.
당시 제1철학은
인문학이었어.

융이 대학교에 입학하기 전에 꾸었던
꿈이 그가 전공을 결정하는 데 엄청난
도움을 줬지. 과연 어떤 꿈이었냐고?

첫 번째 꿈은 라인 강변을 따라 펼쳐진 울창한 숲 속으로 걸어 들어가는 것으로 시작해요.

나는 숲에 있는 조그만 무덤을 파기 시작했어요. 놀랍게도 나는 그곳에서 선사 시대 동물의 뼈를 발견했습니다.

두 번째 꿈도 숲 속이 나와요.
숲 속 가장 음침해 보이는 곳에 빽빽한 덤불 숲으로 둘러싸인 둥근 연못이 있었어요.

그곳에 아주 기묘한 생물이 반쯤 물에 잠긴 채 누워 있었어요. 지름이 1미터쯤 되는 거대한 생물이었죠.

나는 이런 생물이 음침한 장소에 아무런 방해도 받지 않고 누워 있다는 사실에 놀랐습니다.

융은 곧 잠에서 깨어났어. 융은 그 꿈의 의미를 학문적으로 연구하고 싶어졌지.
동물학자가 된다면 기껏해야 학교 교사나 동물원 직원이 될 텐데 그건 원치 않아.

하지만 의학을 공부한다면 내가 꾼 꿈을 보다 학문적으로 분석할 수 있을 거야.
그래, 결심했어!

융이 대학교에 입학한 다음 해인 1896년, 시름시름 앓던 아버지가 세상을 떠났어.
흐흑, 아버지…

아버지를 떠나보낸 뒤 융은 괴로운 시간을 보냈단다.
아버지.
아버지는 널 위해서 세상을 떠나셨구나.

아버지가 융을 위해서 세상을 떠났다는 말은 융에게 상처가 되었어. 융과 아버지가 서로를 이해하지 못했고,

이 때문에 아버지가 융에게 방해가 되었다는 의미로 들렸지.

그런데 아버지가 돌아가신 지 한 달이 지나고, 융의 꿈에 아버지가 나타났단다.
잘 지냈니? 휴가를 갔다가 돌아왔단다.

융은 아버지가 돌아가신 뒤 자신이 아버지 방을 차지했기 때문에 아버지가 불쾌해할 거라고 생각했어.

그러나 아버지는 아무 말도 하지 않았지.

아버지는 돌아가신 게 아니었어!

며칠 뒤 융은 또 아버지 꿈을 꾸었어.

저렇게 건강하신데….
난 왜 돌아가셨다고 생각한 거지?

꿈에서 깬 융은 스스로에게 질문을 던졌어.

아버지가 왜 꿈에 나온 거지?
왜 아버지가 살아 있는 것처럼 느껴졌을까?

융은 아버지의 꿈을 계기로 사후 세계에 대해 생각하게 되었어.

이후 융은 죽은 사람과도 대화할 수 있다고 믿게 되었지.

융은 의학 분야 중 어떤 과를 전공해야 할지 몰라 고민하던 중,

크라프트 에빙이 쓴 정신 의학 교과서를 보고 나서 정신 의학을 공부하기로 결심했다고 해.

세상에! 정말 흥미로워!

크라프트 에빙
(1840~1902)

1900년, 융은 대학교를 졸업하고 취리히 부르크휠츨리 정신 병원의 오이겐 브로일러 교수 밑에서 일을 시작했어.

이분은 어디가 아프죠?
누가 자꾸 자기를 죽이러 온다고 하네.

브로일러는 유명한 정신 의학자로, 정신 분열병(schizophrenia)이라는 말을 만들어 낸 사람이야.

정신 분열병
퍼 엉~

브로일러 아래에서 배우던 시절,
융은 환자에게 단어 연상 실험을
실행했어.

단어 연상 실험이란
특정한 단어를 환자에게
제시한 뒤 그 단어로부터
연상되는 단어를 기억해
내게 하는 것을 말해.

구체적으로 살펴볼까?
너무 긴장하지 마시고, 차분히 떠오르는 단어를 말씀해 주세요.
아, 네.

꼭 하나의 단어만 말씀하세요. 대답할 때까지 걸리는 시간을 재겠습니다.
딸깍

'개구리' 하면 무엇이 떠오르나요?
올챙이!

'죽음' 하면 떠오르는 단어는 뭐가 있나요?
음…
아버지요.

저 환자는 아버지에 대해 공격적인 감정을 품고 있다.
부친의 죽음을 바랄 정도야. 부친에 대해 심한 콤플렉스를 갖고 있어.

1903년, 융은 스물여덟 살의 나이에 엠마 로첸버그와 결혼했어.

융은 대학교 2학년 때 엠마를 처음 만났어.

그때 엠마는 열네 살의 어린 소녀였는데, 융은 엠마를 처음 본 순간 사랑에 빠졌다고 해.

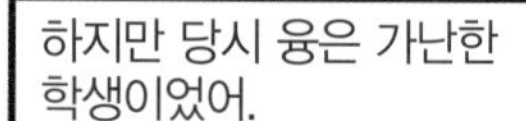

하지만 당시 융은 가난한 학생이었어.
짝…
사랑…

융은 의사라는 안정된 직업을 가진 뒤 그녀에게 청혼할 수 있었단다.

1900년, 프로이트의 《꿈의 해석》이 출간되었고, 융은 그 책을 사서 읽었어.
흠.

처음에는 이해하기 어려워 제쳐 두었다가 몇 년 뒤 다시 꺼내 보았지.
다시 꼼꼼히 읽어 보자.

이때 융은 프로이트의 생각과 자신의 생각이 많은 부분에서 일치한다는 것을 깨달았어.

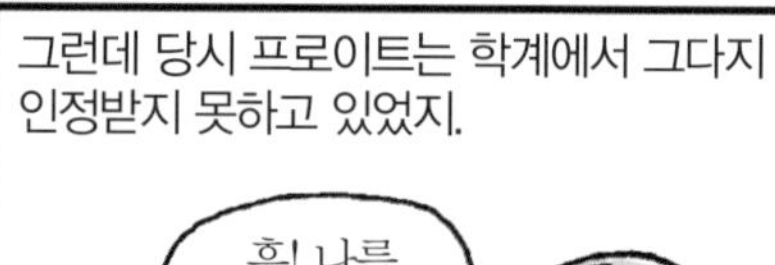

그런데 당시 프로이트는 학계에서 그다지 인정받지 못하고 있었지.
흥! 나를 무시하는군.
학술 발표회

프로이트가 말하는 억압은 내가 발견한 콤플렉스란 개념과 관련이 있어 보여.

프로이트를 만나고 싶지만 그럴 순 없어. 그는 인정받지 못하는 학자라 내 미래에 도움이 안 될 거야.
휙

아니야! 성공 때문에 프로이트를 외면한다니 그럴 수는 없어!

1906년부터 융은 프로이트와 편지를 주고받기 시작했어.

융이 보냈어요.

융? 누구지?

1907년 2월에 융은 직접 오스트리아 빈에 있는 프로이트를 만나러 갔지.

오후 2시에 시작된 만남은 약 열세 시간 동안이나 길게 이어졌어.
시끌~
하~암!

대담을 나눈 뒤 프로이트는 융에 대해 다음과 같이 말했어.

그의 태도에는 진부함이 없다.
무척 총명하고 예리했다.

그러나 모호하게 알 수 없는 구석도 있다.

융은 1909년, 부르크휠출리의 정신 병원을 그만두었어.
사직서

그리고 미국 클라크 대학교로부터 초청을 받아 그곳을 방문해.

그 사이에 프로이트는 많은 사람들의 주목을 받게 되었지만 경력이 짧은 융은 그렇지 못했지.

미국에서 귀국한 융은 스위스에 정신 분석을 연구하는 의료 기관을 열었어.

1910년에는 세계정신분석협회 회장이 되었지.
회장
세계정신분석협회

세계정신분석협회는 프로이트가 세운 기관이었어. 프로이트가 협회의 초대 회장으로 융을 지목했을 정도로 둘은 각별한 사이였지.
초대 회장
칼 융

그런데 1912년에 융은 프로이트를 떠나기로 결심했어. 학문적으로 지향하는 바가 달랐기 때문이지.
짜
약

1913년에는 세계정신분석협회 회장직에서도 물러났어.
절이 싫으면 중이 떠나는 거지, 뭐.
세계정신분석협회

프로이트는 이상할 정도로 성 이론에 집착하고 있습니다.

그는 모든 것을 성 이론으로만 설명하려고 합니다. 세상 모든 것을 다 말입니다.

그는 무엇보다도 성욕을 신비로운 힘으로 여기는 것 같습니다.

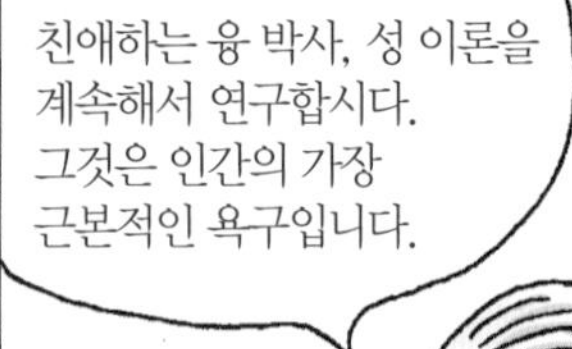
친애하는 융 박사, 성 이론을 계속해서 연구합시다. 그것은 인간의 가장 근본적인 욕구입니다.

스슥~

우리는 이것으로 흔들림 없는 이론을 완성해야 합니다.
性

프로이트 박사, 인간의 무의식을 모두 성적인 것으로만 설명할 수는 없습니다.
콰
광

꿈 해석에 있어서 어느 누구에게나 들어맞는 보편적인 이론을 만들 수는 없습니다.

우리는 개개인의 삶을 이해하고 각자의 꿈을 해석해야 합니다.

이제 저는 당신의 이론에서 벗어나 제 갈 길을 가겠습니다.

프로이트를 떠난 뒤 융은 환상과 환청에 시달렸어.
정신 분열증에 걸린 게 아닐까 의심될 정도였지.

하지만 그럴 때일수록 융은 더욱 자신의 내면 세계를 탐구했어.

이즈음 나의 마음은
흔들리기 시작했습니다.
흔들
흔들

허공에 떠 있는 것 같은
기분을 느꼈지요.
둥실

아직 나는 설 자리를 찾지
못한 것 같았습니다.
흔들~
?

융은 이 경험을 통해 사람의 내면은 분열된 마음을
추스리고 통합하려고 한다는 사실을 깨달았어.

당장 슬픔을 이기지 못하고 퇴행하더라도, 그 시간이
미래를 위한 밑거름이 될 것이라고 믿었지.

퇴행은 무조건 나쁘고
불필요한 것이 아닙니다.
퇴행에도 의미가 있습니다.

융은 퇴행이 새로운 적응을 위한 정신
작용이라는 사실을 발견했어.
이 발견은 융의 심리학 체계의 기초가
되었지.
심리학 체계

이런 맥락에서 융은 신경증과 같은
정신 증상을 단순히 제거해 버려야 할
쓰레기로 보지 않고 그 안에서 의미를
찾으려고 노력했단다.

저는 밤마다 무서운 꿈에 시달립니다….

으으, 이러다가 미쳐 버리는 건 아닐까요?
너무 걱정하지 마십시오.

지난밤 무슨 꿈을 꾸었는지 자세히 이야기해 보세요.
그 꿈에는 당신의 무의식이 전하는 메시지가 있을 겁니다.

그것을 잘 파악해야 합니다.
으음….

신경증은 당신을 괴롭히기만 하는 것이 아니에요. 당신의 무의식과 의식이 통합되도록 해 주죠.

1913년, 융은 자신의 학문을 세상에 발표했어.

나는 나의 학문을 '분석 심리학'이라고 부르겠습니다.

분석 심리학은 환자가 존엄성과 자유를 지키고 자신의 뜻대로 살도록 돕는 데 목적이 있어요.

융은 분석 심리학을 통해 자아가 무의식을 어떻게 통합하고 자기 실현을 하는지 밝히고자 했어.

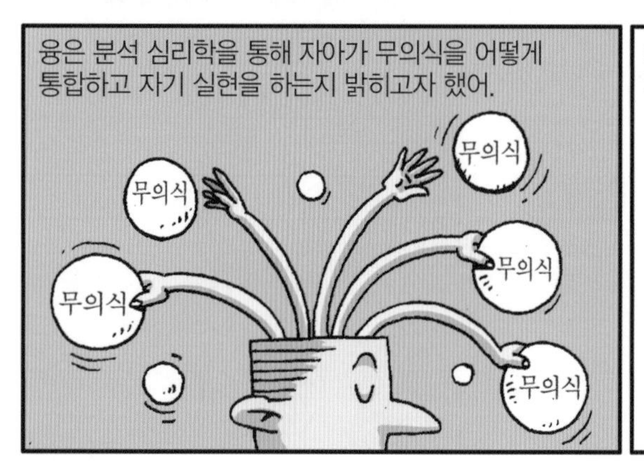
무의식
무의식
무의식
무의식
무의식

융의 이론을 이해하기 위해서는 자기(Self)와 자아(ego)의 개념을 알아야 해.

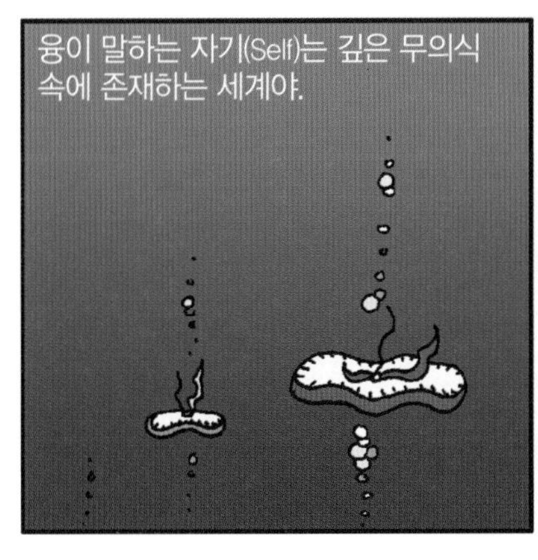

융이 말하는 자기(Self)는 깊은 무의식 속에 존재하는 세계야.

또한 집단 무의식의 원형까지를 포함하는 세계라고 할 수 있어.

반면에 자아(ego)는 의식의 세계로서 자기(self) 세계보다 훨씬 작은 세계지.
자아
자기

융은 자기라는 개념을 강조하기 위해 꼭 대문자 S를 썼다고 해.
Self

융은 자아보다 모든 무의식의 세계를 포함한 자기를 더 중요하게 생각했어.
자아
자기

나의 생애는 무의식의 자기 실현 역사이다.

자아가 자기를 발견하기란 매우 어려워.

그럼 어떻게 자아는 자기를 지각할까?
자아
무의식의 자기

그것은 꿈을 통해서야.

꿈을 통해 무의식의 활동이 의식에 지각되거든.
꿈
무의식의 활동

자기는 꿈의 상징들을 통해 자아에게 메시지를 전하려고 해.

꿈은 자기와 자아가 만나는 지점인 셈이지.
꿈
자기
자아

나를 넘어선 세계와 나의 세계는 꿈을 통해 이어져.

융은 꿈이야말로 인간에게 근본적이고 고귀한 가치를 지니고 있다고 생각했어.
Z Z Z

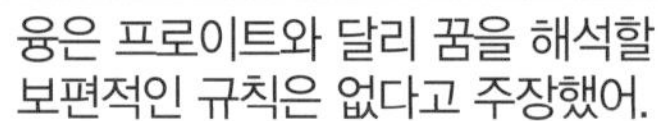
융은 프로이트와 달리 꿈을 해석할 보편적인 규칙은 없다고 주장했어.

꿈 해석

대신 환자의 삶을 들여다보며 꿈을 이해해야 한다고 생각했지.
해석 기준

융은 자신의 이론으로 환자를 해석하려 들지 않고, 끊임없이 환자와 대화하려고 했어.
재잘~ 재잘~

이렇게 자기만의 심리학 체계를 만들면서 원형(archetype), 집단 무의식(collectiveun consciousness), 개성화(individuation), 그림자(shadow), 아니마(anima)와 아니무스(animus) 등 새로운 개념을 소개했어.
원형
집단 무의식
그림자
아니마
개성화
아니무스

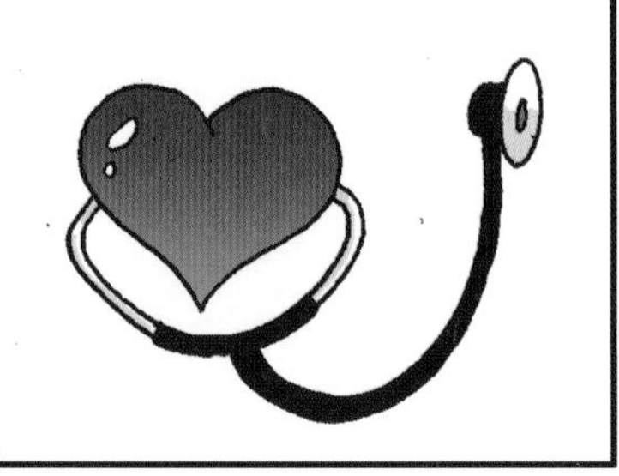
융은 일생 동안 많은 환자를 돌보면서 '영혼의 의사'로 살기 위해 노력했단다.

병든 의사만이 환자를 제대로 치료할 수 있어.
그게 무슨 말인가요?

음, 환자의 고통을 치유하려면 의사가 환자의 고통을 함께 나누어야 한다는 의미야.

제2차 세계 대전이 끝나자, 영국과 미국 등 세계 각지의 많은 이들이 융의 심리학을 배우기 위해 찾아왔어.

우르르…

융의 제자들은 융의 심리학을 체계적으로 교육할 수 있는 연구소를 만들자고 제안했지.

체계적 교육

융이 일흔세 살이 되던 1948년, 취리히에 C.G 융 연구소가 설립되었어.

C.G 융 연구소

굳이 자신의 이름을 내건 연구소를 만들고 싶지는 않았지만 워낙 많은 제자들이 바라던 일이라 어쩔 수 없었어.

거참~, 쑥스럽구먼~

융의 분석 심리학을 배우기 위해 많은 사람들이 연구소로 몰려 왔어. 그들은 융의 심리학을 배우고 전파했지.

융 심리학

1955년 말, 반세기 넘게 함께한 부인 엠마가 세상을 떠나자 융도 급속히 쇠약해졌단다.

엠마…, 보고 싶구려.

1957년부터 융은 《기억, 꿈, 사상》이라는 제목의 자서전을 준비했어.

내 자서전에는 내 삶과 이력뿐만 아니라 직접 겪은 여러 가지 신비한 체험이 담겨 있다.

융의 자서전은 그가 세상을 떠난 뒤인 1961년에 출간되었지.

기억, 꿈, 사상
C,G 융

1961년 6월 6일 저녁, 칼 구스타브 융은 퀴스나흐트(Kusnacht) 자택에서 세상을 떠났어.

C.G JUNG
(1875~1961)

그의 묘비에는 '부름을 받았든 받지 않았든 신은 존재할 것이다'라는 유명한 문장이 새겨져 있단다.

vocatus atque non vocatus deus aderit

3장

신경증이란 무엇인가

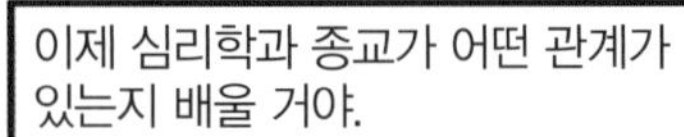
이제 심리학과 종교가 어떤 관계가 있는지 배울 거야.

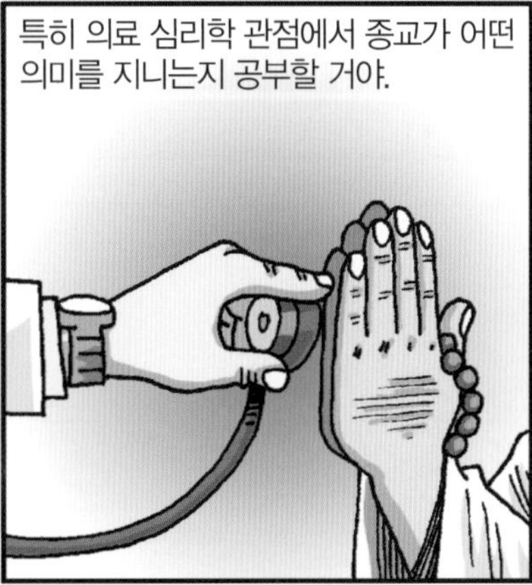
특히 의료 심리학 관점에서 종교가 어떤 의미를 지니는지 공부할 거야.

의료 심리학이 뭐죠?

medical psychology를 번역한 말인데, 요즘은 잘 안 써.

대신 임상 심리학(clinical psychology)이란 말을 쓰지.

심리적인 병을 앓고 있는 환자들을 치료하는 분야란다.
아하, 그렇군요!

종교는 인간의 마음과 관련된 활동이야.

아주 오래전부터 인류는 종교를 믿어 왔지.

따라서 인간의 심리를 연구하는 심리학은 종교에 관심을 가질 수밖에 없어.
종교
심리학

융도 마찬가지였어.
저는 난해한 학문을 탐구하는 철학자가 아닙니다.
저는 경험주의자입니다.

종교라는 현상을 순수하게 경험적인 입장에서 고찰하려 합니다.

전 사람들이 경험한 것에 대해서만 말하지요.

저의 입장은 철저하게 현상학적(phenomenological) 입니다.
촤르…
쿠콰~

현상학? 그게 대체 뭐죠?

융이 말하는 '현상학'은 그리 어려운 말이 아니에요.

난해한 본질을 연구하는 게 아니라, 나타나는 현상만을 연구한다는 뜻이지요.
툭
또르…

융은 현상 · 사건 · 경험 등과 같이 사실적인 것들을 연구했어.
현상
사건
경험

융은 이런 입장에서 진리는 사실이며, 판단이 아니라고 했어.

처녀 마리아가 예수를 낳은 이야기를 예로 들어 보자.

심리학자들은 사람들이 이 이야기를 진실이라고 믿는 현상에 관심을 가져. 이야기가 과연 진실인지 아닌지는 관심이 없지.
사진이 잘 나와야 할 텐데….
찰칵!
경축 성모마리아상제막식

단지 한 명의 사람이 어떤 관념을 가지고 있다면 이것은 주관적인(subjective) 심리적 현상이야.
수박이 안 달아~.
난 단데?

여기서 관념이란 'idea'를 번역한 말인데, 생각이나 믿음을 의미하지.
생각
믿음
관념
아이디어

하지만 어떤 관념에 대해 대부분의 사회 구성원이 동의한다면 이 관념은 객관적(objective)이라고 할 수 있어.
몸짱!
몸짱!
객관적으로 난 몸짱~!
몸짱!
휘익~

이러한 관점에서 보면 심리학은 자연 과학의 입장과 동일하지.
잡아먹을까?
배부른데?

동물학자들이 여러 동물을 연구하는 것처럼 심리학자들은 다양한 관념을 연구하지.
옳지!
관념
정신적 내용

코끼리가 진실인 것은 그것이 상상의 산물이 아니라 실제로 존재하기 때문이야.
과식했네~! 미안~.
뿡
아무렴, 오천만 년 전부터 살아 왔다고.

코끼리는 조물주가 내린 논리적 결론이 아니야.
뭐?
조물주

조물주의 진술도 아니지.
그럼 뭔데?
뻥

그것은 단지 현상일 뿐이야.
난 코끼리의 조상 맘모스.
우리의 진화는 계속되겠지.
조물주 따윈 몰라.

많은 사람들이 심리적 사건을 누군가 만든 것이라고 생각해.

인간의 상상에서 비롯되었다는 것이지.

이것은 아주 뿌리 깊은 선입관이야.
끼잉
심리적 사건

관념이란 실제로 존재해.
관념
관념
관념
관념

관념은 인류의 관습이나 전통에 의해 만들어지는 게 아니야.
그게 아니라면?

오히려 관념들 스스로 다시 새로운 관념을 창조하지.
산 따라 구름 따라 마치 저 단학처럼….

관념들은 각각의 사람들에 의해 만들어지는 것이 아니라
관념

저절로 발생해 사람들의 의식에 자리 잡아.
관념

이것은 말하자면 플라톤적 철학이 아니라 경험적 심리학이야.
낑….
낑….

융은 자신의 이론이 플라톤 철학과는 다르다고 하는데
플라톤이 말하는 '이데아'나 융의 '관념(idea)'이나 같은 말 아닌가요?

그러고 보니 이데아라는 말은 'idea'를 알파벳 그대로 발음한 거네.
스윽

플라톤도 융도 모두 관념을 중요시하는 관념론자 같은데요?

맞아. 플라톤과 융은 관념을 물질보다 우선으로 봤지.
관념

하지만 융의 관념은 책상에 앉아 본질을 탐구하는 철학자의 관념이 아니라 환자들을 직접 치료한 경험에서 비롯된 관념이야.

융은 종교라는 말의 의미를 명확하게 정의하려고 했어.
종교
7
따다닥

융은 종교란 누미노제에 대한 치밀하고 진지한 관찰이라고 했어.
찰칵!
찰칵!
종교
누미노제

여기서 누미노제란, 독일어 'Numinose'에서 온 말로 종교적인 성스러움을 뜻해.

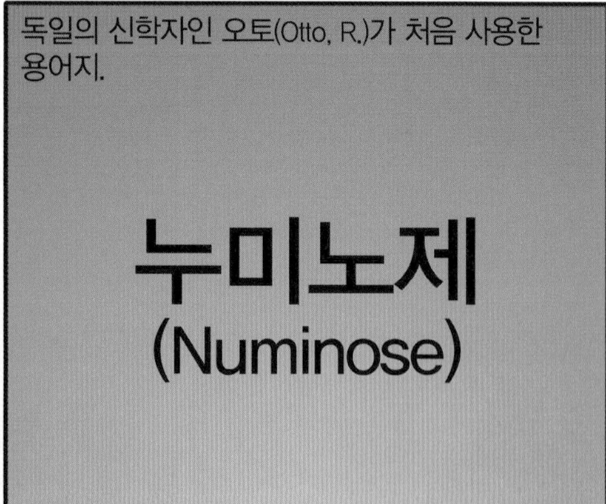
독일의 신학자인 오토(Otto, R.)가 처음 사용한 용어지.
누미노제
(Numinose)

융은 누미노제를 인간의 의지로 만드는 것이 아니라고 했어.
누미노제
그럼?
끼이익

오히려 누미노제가 인간을 장악하고 통제한다고 생각했지.
누미노제

인간은 누미노제의 창조자가 아니라 누미노제의 영향을 받는 자라는 거야.
누미노제

누미노제는 인간의 의지로 바꿀 수 있는 것이 아니야!

아까도 말했듯 누미노제가 오히려 인간을 통제해.
누미노제

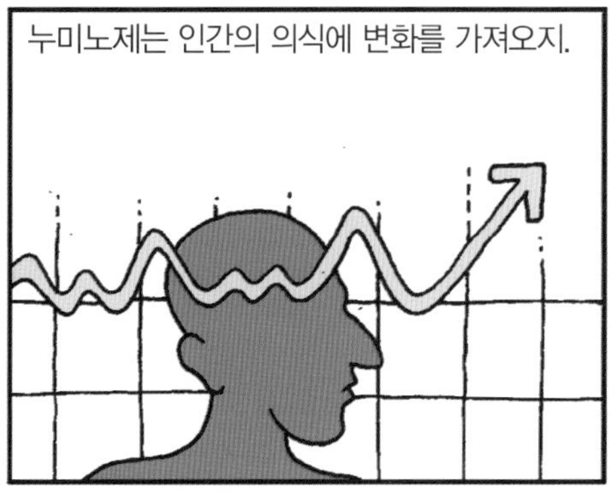

누미노제는 인간의 의식에 변화를 가져오지.

종교 활동에서 의도적으로 누미노제를 만들어 내는 듯한 행동을 할 때가 있어.
짤랑
짤랑

주문을 외운다든지 신에게 도움을 간절히 청하는 행위가 그런 경우지.
얄라리
얄라~

명상을 하거나 자신을 희생하는 경우도 있어.

이런 행위의 바탕에는 신성한 존재에 대한 종교적 믿음이 있어.
믿음

가톨릭에서 사람들에게 성체(빵과 포도주를 마시는 의식)를 베푸는 것을 예로 들 수 있는데,

이는 신자들에게 정신적인 축복을 내리기 위한 의식이야.

신의 은총이 진짜로 존재함을 보여 주기 위해 이런 의식을 치르지.

물론 성사 의식을 치른다고 신의 모습이 실제로 눈에 보이지는 않아.

신의 은총으로 네 머리를 낮게 하노라.
제발….

그럼에도 불구하고 신의 은총은 성사 행위 속에 늘 존재해.

왜냐하면 성사는 신이 정해 준 제도이기 때문이야.

신이 그것을 지지할 마음이 없었다면 이 제도는 지금까지 존재하지 않았을 거야.

성사

융은 종교를 인간 정신의 독특한 태도이자 동적인 요인이라고 했어.

아이 하나만.
신이시여!
물고기를 주소서!
종교

동적인 요인이란 인간이 세상에서 접할 수 있는 것들 중 강력하고, 위험하며, 위대하고, 아름답고, 의미 있는 요소들을 말해.

나처럼 말이지?

마, 맞는 말씀… 같기도….

힘(power) · 정신(spirit) · 악마(demon) · 신(god) · 법률(law) · 관념(idea) · 이상(ideal) 등이 여기에 해당해.

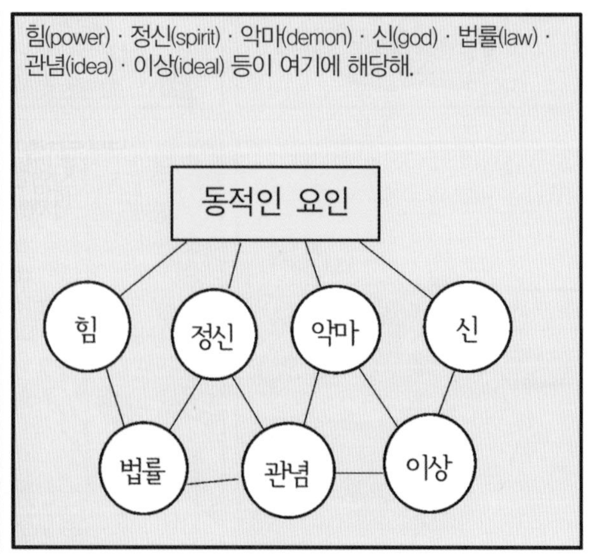
동적인 요인
힘
정신
악마
신
법률
관념
이상

한편 융은 종교가 교리(creed)는
아니라고 주장했어.
Bible

여기서 교리는 고백
(confession)과는 달라.

고백은 신성한 힘, 즉 누미노제를 체험하고 나서
의식에 변화가 생기기까지의 과정을 의미해.

바울의 회심(回心)이 고백의 좋은 예야.

바울의 회심(conversion) – 기독교도들을
박해하던 독실한 유대 인 바울이 어느 날,
부활한 예수 그리스도를 통해 기독교인으로
바뀐 일을 말한다.

융에 따르면 사람들은 종교를 통해
누미노제를 체험하고 의식이
변하게 되지.

교리는 종교적 체험을 모아
편집하고 체계화한 거야.

그런데 신성한 체험들이 교리가 되면
융통성 없는 구조가 되기 쉬워.
빡--
교리

체험을 반복해서 재현하다 보면
하나의 의식이 되고, 고정적인
제도로 자리 잡거든.
체험
체험
제도

그렇다고 교리가 의미 없다는
말은 아니야.
파닥....

교리는 오랜 세월 동안 수많은 사람들에게
종교 체험의 좋은 표본이 됐으니까.
교리

가톨릭 교회에도 변화의 가능성은 열려 있어.

시대의 흐름에 따라 가톨릭 교회에서
도그마의 숫자가 증가할 수도 있지.
도그마
시대 흐름

종교적인 의식이 변할 수도
있어.

하지만 언제나 종교의 변화와 발전은
태초 경험의 틀 안에서 이루어져.

태초의 경험에서 비롯된 도그마의
요소도 그대로 남아 있게 마련이지.
도그마

프로테스탄트는 전통적인
가톨릭 교회의 교리나 종교
의식으로부터 해방되었어.

광
프로테스탄트
광
Creed
ritual

또한 교파 수가 400개가 넘을
정도로 다양해졌지.
프로테스탄트

그러나 프로테스탄트 교회도 기독교도라는
범주를 벗어나지는 않아.
나도
기독교.
웬일로?
기독교

이들도 가톨릭처럼 종교적 경험은
인간을 위해 수난을 당한
예수 그리스도 안에서
이루어진다고 믿어.

물론 불교나 이슬람교와는 명백하게
구별되지만 말이야.

이 세상에는 기독교 외에도 불교, 유교, 조로아스터교 등 여러 종교들이 있지.
나무아미 타불.
똑 똑
유세차…
아후라 마즈다~!
활

또 키베레, 아티스, 마니, 헤르메스 등 소수 민족들의 종교도 있어.

종교는 대부분 자기만이 유일하고 영원한 진리라고 주장해.
진리

심리학자는 이런 독단적인 주장을 받아들여서는 안 돼.
종교

심리학자의 관심사는 종교 체험에 대한 연구이지 각 종교가 주장하는 교리가 아니거든.
종교의 근원

저는 환자들을 직접 만나며 저의 종교관을 세우게 되었지요.

저는 주로 신경증을 연구했는데,
덜~
덜~

신경증은 환자의 가장 내밀한 생활과 관련되어 있습니다.
선생님, 제발 고쳐 주세요!

병을 초래하는 원인이 되는 모든 상황을 완전히 이해해야 신경증을 치료할 수 있습니다.
잘~ 반죽해서 빚어 보자!
상황 갈등

그런데 환자는 자신의 문제를 말하기를 꺼립니다.
치료
자신의 명예가 손상될까 봐 두렵기 때문입니다.

왜냐하면 신경증을 통해 자신의 비도덕적인 부분이 어느 정도 드러나기 때문이지요.
노상 방뇨 금지

융은 자신에 대해 신뢰를 잃었을 때 신경증이 생긴다고 말했어.
난… 패배자….
살 가치도 없어….

신경증 환자들은 자신이 신경증에 걸렸다는 사실을 굴욕적으로 받아들여.
승
신경증
질 수밖에 없는 게임….

그런데 그 패배가 '사실이 아닌' 것에 의해 발생할 수도 있어.
패배
불을 때지 않았는데 연기가 나네?

전 암으로 고생하고 있답니다.
흠.

아닙니다. 당신은 암에 걸리지 않았어요.

배가 엄청나게 아프다고요. 이래도 암이 아닌가요?
암 때문에 아픈 게 아닙니다.

그러면 왜 이렇게 아프죠?

당신이 상상 속에서 병을 만들어 냈기 때문이죠.

제가 환자가 아니라고요? 정말요?
그렇습니다.

말도 안 돼요. 도대체 왜 이런 말도 안 되는 상상을 하게 된 거죠?

정말 부끄럽고 화가 납니다. 내 자신이 너무 밉습니다.

상상 암(imaginary cancer)에 걸린 환자들은 심각한 열등감을 느끼고 슬픔에 빠지지요. 이런 신경증 환자에게 의사는 무엇을 해 줄 수 있나요?
암

최근 정신(psyche)을
*유물론적으로 해석하려는
사람들이 많아졌어.
정신

유물론적 견해에 따르면 심리 장애는
모두 뇌가 비정상적으로 활동해서
생기는 것이라고 할 수 있어.

하지만 융은 이런 관점이 신경증을
치료하는 데 아무런 도움이 되지
않는다고 주장했어.
유물론
윙
윙

* 유물론: 물질이 정신보다 앞선다는 견해.

물론 정신과 뇌 사이에 어떤 관계가 있음은 부인할
수 없는 사실이야.

하지만 현재의 의학 수준으로는 이것을 증명하기 어려워.
뇌만
보이는데?
난 안
보이지?

오늘날까지도 신경증이 뇌 활동의
장애로부터 오는지 확인할 방법은
없어.

그렇지만 신경증의
원인이 심리에서
기인한다는 것은
확실해.

신경증 원인

심리

만약 신경증이 육체적인 장애라면 단번에
치료되기는 어렵겠지.
두 달 후면
나을 수
있나요?

어떤 환자는 39도나 되는 높은 열에
시달렸는데, 히스테리의 원인이 되는
심리적 문제를 고백하더니 금세
열이 내려가고 몸이 나았어요.

이처럼 신경증은 심리
치료로 해결될 수도 있어.

건선이라는 피부병을 앓던 환자가 있었는데
몇 주 동안 심리 치료를 받고 나서 병이
나았지.
놀라워요!
심리 치료로
병이 낫다니!

이러한 사례를 보면 상상이 실재하지 않는다고 확신할 순 없어.

그러니까 관념이 실제로 존재한다는 말이지.

정신이나 영혼이 눈에 보이지 않는다고 해서 없다고 단정 지을 순 없어.

정신
spirit
영혼
soul

눈으로 보이는 것만 존재한다고 여기는 태도는 경계해야 해.

존재

사실 우리는 정신적인 것을 즉각적으로 알아차릴 수 있어.

정신
끼기긱

오히려 물질적인 존재는 추론에 불과해.

생각해 봐. 우리는 어떤 물질이 있다는 사실을 감각을 통해 주어진 정신적인 이미지로 지각하잖아.

수박.
시원하고 달겠지?

이 사실을 잊어버리면 큰 오류를 범하게 돼.

쳇!
힝~.

만약 신경증이 상상에서 비롯되었다 해도 그것은 극히 현실적인 사실이라고 할 수 있어.

무서워~
으....

누가 자신을 죽이려 한다고 생각하는 병에 걸린 사람이 있다고 해 보자. 그는 그런 상상 때문에 진짜 목숨을 잃을 수도 있어.

나한테 왜 이래요~?

거기 당장 서!

융은 상상도 현실에 존재하며
위험할 수 있다고 주장했어.

저는 심리적인 장애가
전염병이나 지진만큼
위험하다고 생각합니다.
예를 들어 중세에 많은 사람들이
페스트나 천연두로 죽었지만

이와 비슷한 수의 사람들이
이념의 차이로 벌어진 제1차
세계 대전 때 사망했습니다.

러시아 혁명 때는 정치적
견해 차이로 많은
이들이 죽었지요.

비록 아르키메데스의 점이 없다고
해도 인간의 정신은 분명히 실재해요.
생각의 차이가 사람을 죽음에 이르도록
하는 것만 봐도 알 수 있죠.

정신은 존재합니다.

아르키메데스의 점
(Archimedean point)이 뭐죠?

아르키메데스는 충분히 긴 지렛대와
그것이 놓일 장소만 주어진다면
지구를 들어 올릴 수 있다고 했어.
아르키메데스 점
아르키메데스 점은 지렛대를
받치는 고임목 같은 거야.

아르키메데스의 점이란 연구자가
탐구 주제를 총체적 관점에서
객관적으로 지각할 수 있는
가설적 지점을 가리키는 말이야.
가설적
지점

융은 우리의 정신을 증명할
지렛대는 없지만 지구가 존재하는
것처럼 정신도 존재한다고
주장하고 있어.
정신

그렇다면 자기가 암에 걸렸다고 상상하는 환자에게 어떤 대답을 해 줄 수 있을까?

제발 제 신경증 치료 좀~.

흠….

'당신이 암에 걸렸다는 상상은 못된 악마와 같습니다'라고 말하면 될까?

암
어떻습니까?
정말?

아니면 '그 악마는 당신을 죽이려고 들지도 모릅니다'라고 겁을 주든지 말이야.

암

보통 환자는 스스로 마음속에 악마를 만들었다고 생각해.

모두 자신의 탓으로 돌리지.

펑
엉?

그런데 정말로 신체적 질병에 걸린 사람들은 보통 그 병을 자기가 만들었다고는 생각하지 않잖아.

운이 나쁜 게 죄지, 뭐.
약 드실 시간이에요.

유독 심리적인 문제에서만 마치 자기 자신이 심리 상태를 만들었다고 느끼지.

두려워….
이 공포심은 순전히 내가 만든 거야….

이런 편견은 극히 최근에 생긴 일이야.

편견

예전에는 정신을 매개하는 대리자가 있어서, 감정에 영향을 미친다고 생각했거든.

대리자

중세 시대 사람들은 귀신, 마녀, 마법사, 악령, 천사나 신 같은 것들이 존재하고,

이들이 인간의 마음에 어떤 심리적 변화를 일으킨다고 믿었어.

오늘날 상상 암에 걸린 환자가 과거로 간다면 지금과는 다르게 병을 받아들였을 거야.
저 마법사 왠지 기분 나빠….
낄 낄

아마 누군가 자기에게 마법을 사용했거나

자신의 몸에 귀신이 들어왔다고 생각하겠지.

오늘날의 사람들과는 다른 사고방식이지.
난 악귀가 싫어! 내게서 떨어져~!

조선 시대로 go! go!
타임머신

무당님, 저를 치료해 주세요.

훠~이! 악귀는 물러가라!

환자는 자신이 치유됐다고 확신해.
다… 다 나았어!
굿 값 백 냥!

용하단 말이야~.
저 무당!

악귀를 몰아내 병을 치료했어.
영험해! 나도 굿 좀 할까나?

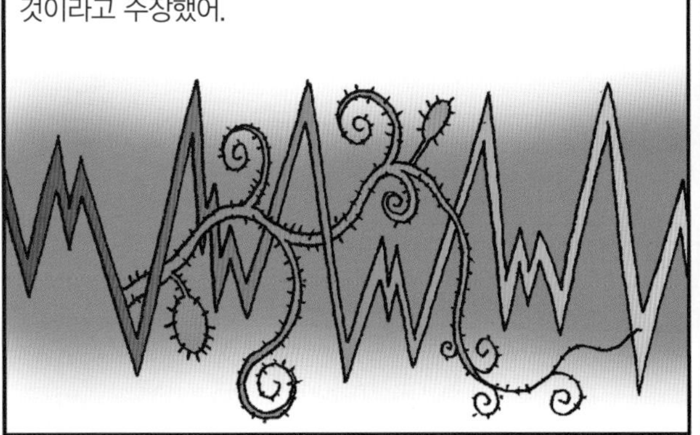
융은 암에 대한 환자의 상상은 의식의 바깥 부분에서 유래한 것이라고 주장했어.

그리고 이 상상이 어느 순간 의식의 영역에 침투한다고 말했지.

'상상 암'이라는 관념은 우리로부터 독립된 존재입니다.
휙

환자는 스스로 상상 암이라는 심리적인 존재를 지배할 수 없습니다.
난… 곧… 죽을 거야.

환자를 대상으로 단어 연상 실험을 해 보면 곧 그 사실을 깨닫게 됩니다.

단어 연상 실험을 하면 처음에 환자는 제대로 답변하지 못합니다.
개구리.
어… 어… 그러니깐….

이 실험을 통해 환자의 의식으로는 알아낼 수 없는 자극어(stimulus words)를 발견할 수 있지.
자극어

이 자극어들은 어떤 자율적인 내용(autonomous content)에 의해서만 나와.
사랑~.
자율
내용
이별~.

여기서 자율적인 내용이란 피실험자들이 조절할 수 없는 무의식적인 것들을 말해.
자율적 내용

아마 상상 암에 걸린 환자는 이와 관련된 심리적인 콤플렉스를 이야기할 거야.

암

암이 무서워. 암에 걸린 것 같아.

콤플렉스는 마치 *자아를 방해하는 존재 같아.
윙-
자아

콤플렉스는 겉으로 드러나지는 않지만 뒤에서 큰 영향을 미치지.
콤플렉스

* 자아: ego, 내가 나로서 의식하고 있는 의식 세계의 중심.

이제부터 단어 연상 검사를 실시합니다.
어떻게 합니까?

제가 한 단어를 말하면 연상되는 단어를 곧바로 말씀해 주세요.
알겠습니다.

고통.

암!

종교.
뭐요?

종교.
글쎄요.

당신은 종교와 관련된 콤플렉스가 있군요.

콤플렉스? 열등감 말하는 건가요?

흠, 그보다도 제가 말하는 콤플렉스란 '마음속의 응어리'에 가깝습니다.
아, 네….

콤플렉스는 한 가지가 아니라 여러 가지야.
콤플렉스

많은 콤플렉스들은 의식으로부터 격리되어 있어.
콤플렉스

왜냐하면 의식이 콤플렉스를 없애고 싶어 하기 때문이야.
사라져 줘!
의식
콤플렉스

그런데 우리가 의식하지 못하는 콤플렉스들도 있어.

이런 콤플렉스들은 의식이 모르는 것이기 때문에 억제할 수도 없어.
콤플렉스
의식은 모르는 콤플렉스.

무의식에서 발생한 콤플렉스는 아주 강력한 힘으로 의식을 압도해.
무의식
의식

상상 암 환자의 경우는, 환자 본인이 콤플렉스를 의식하지 못하는 상태에서 콤플렉스가 의식을 압도하는 경우에 해당해.
넌 내 거야. 이리 와!
암
아, 안 돼!

교양 있고 똑똑한 사람이라고 해도 콤플렉스의 공격에 무너지기 쉬워.
콤플렉스

콤플렉스가 자기 자신을 압도해 버리기 때문이야.
지나친 관념
버거워.

자신도 모르게 어느 순간 이런 병적 관념이 생겨났고,
응애~!

그 뒤 이 관념이 의식을 지배해 왔던 거지.

대부분의 사람들은 콤플렉스를 의식하고 싶어 하지 않아.
그것도 얼굴이냐?

자아가 모르는 무의식에 대해 두려움을 갖고 있지.
헉~!
무의식 내용

이것은 원시인이 악령을 두려워 했던 것과 비슷해.
엄마~!

사람들은 콤플렉스가 드러나면 수치심부터 느끼게 돼.
콤플렉스
콤플
창피해.

콤플렉스는 영혼의 위험을 알리는 신호야.

콤플렉스가 많다는 것은 영혼이 위험하다는 신호라고 볼 수 있어.
콤플렉스

우리는 그 신호를 겸허히 인정하고 받아들여야 해.
콤플렉스

내가 왜 상상 암에 걸렸지?
저도 나름 강한 사람인데요.

왜 그것을 인정하지 못합니까?

이런 우스꽝스러운 병을 앓고 있다는 사실을 어떻게 인정합니까?

인정하지 않으면 당신은 앞으로도 계속 괴로울 것입니다.
계속?

이번에는 새로운 관념에 대한 이야기를 해 보자.
콰 직
새로운 관념

새로운 관념은 때로는 너무나 이상하게 느껴지기도 하지.
덜…덜…
관념

새로운 관념에 동의했던 사람들은 한때 이단자라고 배척당하기도 했어.

이단자로 몰린 사람들은 그 뜻이 아무리 합리적이라 해도
이단자

때로는 화형당하기도 했고,
아악!
화르르

목이 잘리는 참수형을 당했으며

기관총으로 살해당하기도 했어.
투
카 카 카

저 사람은 악마에 사로잡힌 마녀야!
!
당장 화형에 처해라!

제가 왜 악마라는 거죠? 여러분의 논리는 말도 안 돼요.

주님을 믿습니까? 여러분!
주님을 믿읍시다!

시끄러!
종교는 마약이다!
투카카카
아아악!

불행히도 이런 일은 계속 일어날 수 있어. 우리 무의식 속에는 비인격적인 힘이 존재하기 때문이야.

예를 들면 인간이 집단을 이루면서 점차 폭력성이 드러나는 경우가 있어.

마치 마음속에 잠들어 있던 야수가 깨어나는 것처럼 말이지.

집단의 일원이 되면 도덕적 수준과 지적 수준이 무의식 수준으로 낮아져.

무의식
도덕
지적

그리고 이것들은 어떠한 자극에 의해 의식을 뚫고 분출해.

쿠
광
의식

이러한 힘들은 평소에는 잘 드러나지 않아.

공손
차 드세요.
고맙구나.

그러므로 인간의 심리를 개인적인 사실로만 파악하면

홍길동

중대한 오류를 낳을 수 있어.

그런 방식은 일상적인 상황에서만 적용될 수 있어.

만약 예기치 못한 형태의 사건이 발생하면 즉각적으로 본능적인 힘이 나타나.

이런 힘들은 아주 새롭고 이상한 형태를 띠기 때문에 어떤 일이 벌어질지 예측하기 어려워.

이러한 힘들은 개인적인 차원으로는 이해하기 힘들어.
폼페이 화산
대지의 여신이 노했다!

이건 마치 일식 현상을 처음 맞닥뜨린 원시인들의 공포심과 같아.
해가 사라져~!
악마가 삼킨 거야!

러시아 혁명 때도 수많은 사람들의 힘이 모였지.

이렇게 모인 힘은 엄청난 결과를 이끌어 내.

평소에는 온화하고 이성적인 인간이 때로는 광기를 띠거나 야수처럼 변하기도 하지.

우리 안에 엄청난 힘이 없다면 어떻게 그런 일이 일어날 수 있을까?

사실상 우리는 시한폭탄 위에서 사는 셈이야.

우리는 광기 어린 폭발로부터 스스로를 보호할 방법이 없어.

물론 이성이나 상식에 호소할 수도 있겠지.
진작
말하지….
이성
상식

그런데 그 청중이 정신 병원에 있는 환자들이거나 집단적 열광에 빠져 있는 군중이라면 이성이나 상식도 소용없어.
와
이성 따위는 필요 없어!
와
으악!
오빠, 노올자!

정신 병자와 군중 심리에 빠진 사람들은 모두 저항할 수 없는, 비인격적인 힘에 의해 움직이기 때문이야.

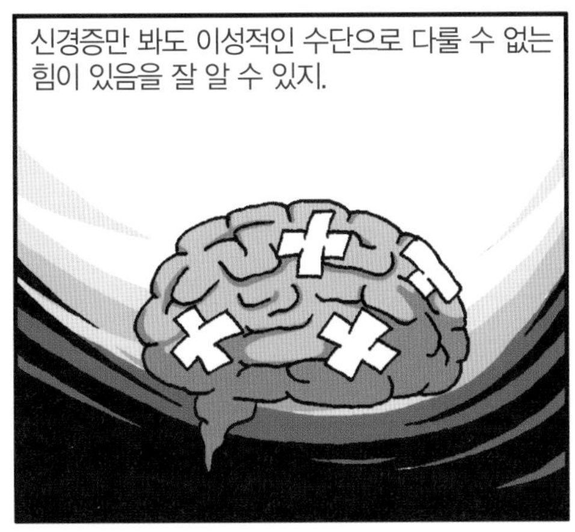

신경증만 봐도 이성적인 수단으로 다룰 수 없는 힘이 있음을 잘 알 수 있지.

상상 암처럼 명백히 불합리한 현상에 대해 우리의 이성이나 지성이 무기력한 때가 있잖아.
불합리
와작
지성
이성

극복하기 어려운 불합리 뒤에는 아직 그 정체가 분명하지 않은 힘이나 의미가 있습니다.

융은 이를 받아들이고 이에 상응하는 설명을 찾아야 한다고 말해.
배후
드득
설명
문제 해결

신경증 환자의 증상은 의식으로 해결하긴 힘들어.

그러니 신경증 환자를 탓하는 행동은 옳지 못해.
너무해.
무 책 임

상상 암은 환자가 고의로 만든 병이 아니기 때문이지.
덜 덜
그럴 리 있겠어?
암

이런 행동은 환자의 용기를 빼앗아 가지.
이렇게 사느니 차라리….

그것보다는 환자에게 콤플렉스가 원인이라고 설명해 주는 편이 더 나아.
성문을 열어라!
내 콤플렉스가 나를 공격하다니!
콤플렉스
신경증 환자

신경증은 환자 내부의 무의식에서 저절로 발생한다는 사실을 정확하게 알려 줘야 하지.
신경증
신경증

4장

꿈의 의미

쿨쿨쿨

이번 장에서는 꿈에 대한 잘못된 편견들을 알아볼 거야. 잘 들어 봐.
쿨 쿨 쿨

고대 바빌로니아의 서사시를 보면 오만불손한 *길가메시가 신들에게 도전하고,

신들은 길가메시를 꺾기 위해 그와 동등한 힘을 가진 인간을 창조하여 대적한다는 이야기가 나와.
삐삐

* 길가메시: 바빌로니아 문학 작품 중 남아 있는 대표작 《길가메시 서사시》의 주인공인 영웅. 반은 신이고 반은 인간이다.

이와 같은 일이 신경증 환자에게도 일어날 수 있어.
터벅

환자는 지성과 이성의 힘으로 자신의 세계에 질서를 구축하려고 했던 이였어.
이성
지성

그는 자기 운명을 스스로 만들고, 모든 것을 이성의 힘에 복종시키는 듯했지.
이성
다각
다각

그러나 자연은 상상 암이라는
관념으로 그에게
복수를 했어.
상상암

상상 암은 신경증 환자를 꼼짝 못 하게
했지.
상상 암
상상 암

그런데 상상 암은 무의식에
의해 만들어진 거야.
술
책
무의식

이 사실은 이성과 의지만을 믿고 살던 신경증
환자에게 엄청난 충격이었지.
이성
의지

신경증 환자가 이런 비참한 사태에 처하게 된 것은 그가
이성과 지성에만 의존했기 때문이야.
지성
이성

다시 길가메시 이야기로
되돌아가 보자.
고로롱

길가메시는 신들의 공격을 잘 피할
수 있었어. 왜냐하면 그는
피
핑

꿈에서 경고를 해 주는 예언을 들었고,
곧 신들이
공격한다!

꿈을 진지하게 받아들여 미리 대책을 세웠거든.
올 테면
와 봐라!

길가메시는 꿈을 통해서 적을 무찌를 수 있었던
거야.

신경증 환자도
길가메시처럼 꿈을 꿔.

그러나 그는 길가메시와 달리 꿈이
말하는 메시지에 귀를 기울이지
않아.
펑
꿈은
꿈일 뿐….

지성인이 꿈 같은 미신적인 행위에 휘둘려서는
안 된다고 생각하니까.
꿈을 믿지
않아.
지성인이라면
현실에서 답을
찾아야지.
매력적인데?
또각
또각

오늘날 많은 사람들이 꿈에 대해
편견을 가지고 있어.
꿈?=

융에 따르면 이런 편견은
현대인이 영혼의 역할을
과소평가하기 때문에 생기지.

우리는 과학과 기술이 주는 많은 혜택을
받고 있어.
부웅

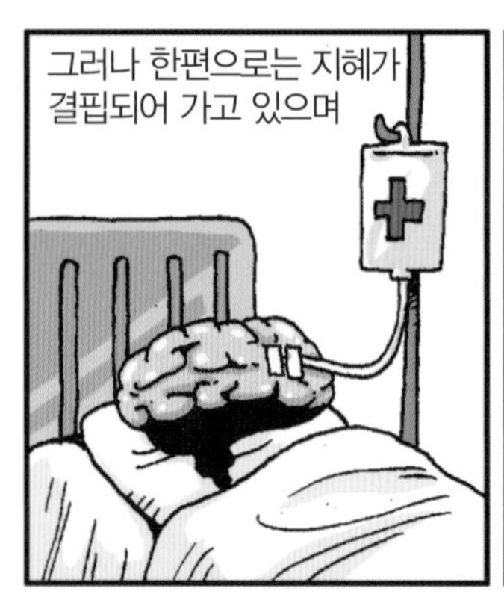

그러나 한편으로는 지혜가
결핍되어 가고 있으며

자신의 심리적 상태를 제대로
관찰하지 못하고 있어.

종교는 영원히 죽지 않는 영혼에 대해
이야기하지만

인간의 정신세계에 대해서는 거의 말하지
않아.

신의 은총이 없다면 인간은 영원한 지옥에 떨어질 것이라며 겁만
주고 있지.

지혜가 결핍되고, 자신의 정신 상태를 보살피지 못하고, 종교가 인간의 정신세계를 경시하는 풍조 속에서 현대인은 점점 병들어 가고 있어.

다각
또각

인간의 정신이 과소평가되는 이유가 또 있어. 바로 인간의 무의식에 대한 공포와 혐오야.

원시 사회에서는 의식보다 무의식의 흐름대로 살아가는 경향이 있었어.

무의식
의식

오늘날에도 아마존 밀림 같은 곳에서 원시적인 사회를 이루고 사는 사람들은

쭉 들이마셔! 영혼이 맑아질 거야.
흡!

현대인들보다 의식을 쉽게 잃고는 해.

영혼이 많이 더럽혀져 있군…. 열 번 더!
캑~!

예를 들어 '아모크' 상태를 들 수 있어.

아모크(amok)는 말레이 부족이 겪는 정신 착란을 말해.

아모크 상태가 심한 경우에는 살인이 일어나기도 하지.
콱!

아모크 상태는 게르만 인들의 전설에 나오는 베르세크들과 비슷해.
베르세크(berserk)는 북부 유럽에 살았던 게르만 인들의 전설에 등장하는 전사들을 가리키는 말이야.

베르세크들은 일상생활을 하다가도

어느 날 갑자기 집단적인 광란 상태에 빠져, 창을 들고 전쟁에 나갔다고 해.
다그닥

이런 현상은 일종의 최면 상태와 같아.
레드 썬!

사람들은 이런 상태에 빠지면 매우 파괴적으로 행동해.

원시 사회에서는 의례 과정을 매우 엄격하게 지켜.
"활" "활"

이들은 아주 작은 목소리로 말하고,
"소곤"

무기를 내려놓고, 허리를 구부려.

또 머리를 숙이고, 양 손바닥을 상대방에게 보이며 공손한 태도를 취하지.
흠~

오늘날 우리가 예의를 갖추는 것도 상대방이 파괴적 행위를 하는 것을 막기 위해서야.

상대방에게 인사할 때는 '좋은 하루를 보내'라고 상냥하게 이야기하잖아.
Have a good day~!

또한 권력을 가진 사람 앞에서는 머리에 아무것도 쓰지 않은 상태로 고개를 숙여.
꾸벅
의원

권력자에게 이런 상태의 머리를 내놓음으로써 자신은 무방비 상태라는 사실을 보여 주지.
크르릉

그러면 권력자가 기분이 덜 상할 거라 생각해서야.
깨갱.

원시인들은 언제 일어날지 모르는 영혼이 위험해지는 것을 피하기 위해서도 다양한 노력을 해.

*타부(taboo) 영역의 설정도 이런 시도 중 하나야.
화르

무수한 타부들은 정신 영역의 한계를 설정해.

* 타부: 민간 신앙에서 신성한 것을 위해 부정한 물건에 접촉하는 것을 금하는 행위.

원시 사회에 사는 사람들은
꿈을 꾸지 않는다고 말해.
푹 자!

그들은 꿈을 꾸는 것이
추장이나 주술사의
특권이라고 믿기 때문이야.
암!
그렇지!

그런데 영국령 아프리카 식민지에 사는 어떤 주술사는
더 이상 꿈을 꾸지 않는다고 고백했어.
게다가
잠도 오지
않아….

그는 '꿈은 이제 제가 아닌 지역
감독관이 꾸고 있습니다.'라고
말했지.
가지시오.

영국인들이 식민지에 들어온
이후 주술사들은 더 이상 꿈을
꾸지 않게 되었다는 거야.
알아서
꿈꿔
주겠지….
드르렁

지역 감독관이 전쟁이나 질병과 관련된
모든 지식을 알고 있었거든.
이웃 부족이
내일 쳐들어올
것이오!
헉!

그들은 자신들이 어디에서 살아야
하는지까지도 감독관이 알고
있다고 여겼어.
그래도
여긴….

아프리카 원시 사회의 주술사에게
꿈은 그들의 정신적 최고 지도자인
신(god)의 목소리를 의미해.

꿈은 음모, 위험, 전쟁과 같은 위협에
대해 알려 주는 미지의 목소리야.
꿈

어떤 아프리카 원주민은
어느 날 적에게 잡혀서
산 채로 화형당하는
꿈을 꿨어.

다음 날 그는
친지들을 불러 모아
자기를 불에 태우라고
했어.
태워줘~!

친지들은 그의 양쪽 발을
묶은 채 불 속에 던졌지.
휙

그는 크게 다쳤지만 대신에
적으로부터 화를 피할 수
있었어.
그럼
된 거지
뭐….
절룩

다른 예를 들어 볼까?

어느 날 어떤 등산가가
융을 찾아왔어.

그 사람은 높은 산 정상에서 떨어지는 꿈을 꾸었다고
말했어.
아악!

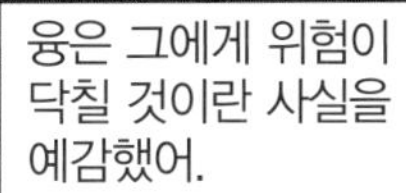
융은 그에게 위험이
닥칠 것이란 사실을
예감했어.

심상치
않은
꿈인데?

융은 등산가에게 꿈이
경고하는 것이라며 등산을
자제하라고 말했어.
명심하시오.

하지만 그 사람은 융의 권고를 무시하고 다시 산에
올랐고, 결국 발을 헛디뎌 크게 다쳤지.
아아악-

등산가는 무의식이 자신의
미래를 감지하고 그것을 꿈으로
전달한다는 사실을 믿지 않았던
거야.

융은 인간의 의식이 자신의
미래를 알아보지 못할지라도
이성

무의식은 정확히 미래를 내다볼 수 있다고
주장했어.
무의식

꿈은 신의 목소리인 동시에
재앙처럼 두려운 것으로
느껴지기도 합니다.

원시인들은 꿈에
흔들리고 싶어 하지
않았습니다.
이것은 유대 인
예언자들의 심리에도
고스란히 나타납니다.

예언자들도 종종 신의
목소리를 따르기를
주저했습니다.
자신의 의식으로는
도저히 이해할 수 없는
가르침이었기 때문입니다.

5장

신경증 환자의 꿈 해석

다시! 상상 암에 걸린 환자의 사례를 살펴보자.
긁적

융은 상상 암에 걸린 환자에게 이렇게 말했어.
상상 암을 망상으로만 치부하지 말고 그것을 진지하게 받아들이세요.

신경증 환자에게 어떤 문제가 암처럼 자라고 있다는 사실을 제대로 인식하라고 조언했지.
문제
푸식!

그러면 신경증 환자는 이렇게 질문했어.
문제요? 그 문제가 도대체 뭐죠?
넹?

이에 대해 답하기는 어려워.
무슨 뜻?

무의식이 뭔가를 형성하는 것은 확실한데 의식은 그것이 무엇인지 알 수 없거든.
의식
무의식

도대체 무의식은 어떻게
알 수 있을까?

이에 대한 모든 정보는 꿈에 있어.

꿈은 우리에게 신경증에
대한 정보를 주지.
꿈
난 다
알고 있어.

꿈을 살펴보는 방법은 위험할 수도
있어.

하지만 신경증 치료를 하려면
모험이 필요해.
끙차~

환자에게 고통을 주는 증상들은, 식물에
비유하면 지상으로 뻗어 나온 싹과 같아.

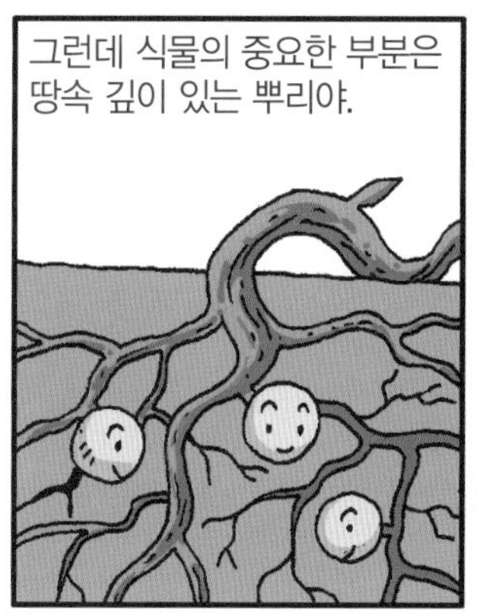
그런데 식물의 중요한 부분은
땅속 깊이 있는 뿌리야.

그러니 싹과 같은 증상만 보지
말고, 신경증을 만드는 뿌리를
살펴야 해.
신경증

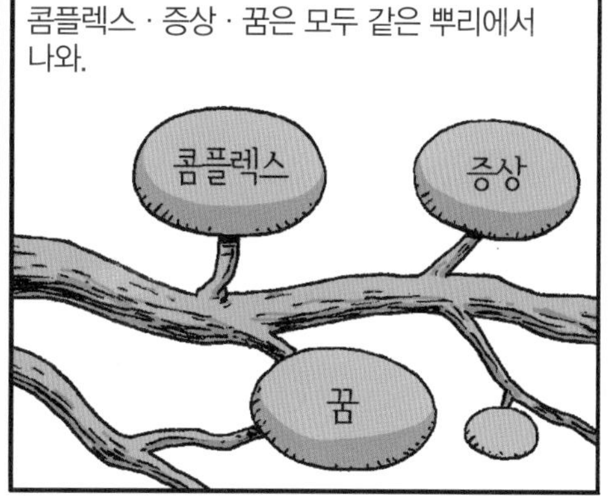
콤플렉스 · 증상 · 꿈은 모두 같은 뿌리에서
나와.
콤플렉스
증상
꿈

융은 꿈이 영혼의 내부에서 발생하는
여러 과정들을 정확히 반영한다고
믿었어.
과정
와작
꿈
그건
분명해.

선생님, 도와주세요.
정말 죽을 것 같아요.

포기하지 마세요.
당신의 지성을
믿으세요.
꿈을 잘 관찰하고
기록해 보세요.

이 신경증 환자는 400개도 넘는 꿈을 기록했어.
348번 째….
ZZZ
꿈

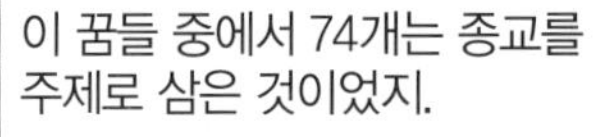
이 꿈들 중에서 74개는 종교를 주제로 삼은 것이었지.

쿨쿨~.
꿈

그런데 이 환자는 교회에 별 관심이 없었어.
뎅
뎅
일요일인데
낚시나
갈까?

종교도 없는 사람이 굉장히 자주 종교와 관련된 꿈을 꾸었던 거야.
드르…

지금부터 환자가 꾼 꿈 중에서 대표적인 꿈 두 가지를 이야기하려고 해.

이런 꿈을 왜 꾸는 거지?

먼저 첫 번째 꿈이야. 환자의 기록을 그대로 옮길게.

많은 건물들이 있다. 이것들은 모두 어떤 무대 장치 같다.

어떤 사람이 버나드 쇼에 대해 이야기한다.
연극은 말이지.
버나드 쇼 정도는 돼야지.

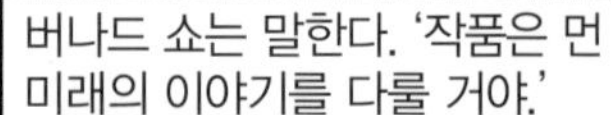
버나드 쇼는 말한다. '작품은 먼 미래의 이야기를 다룰 거야.'

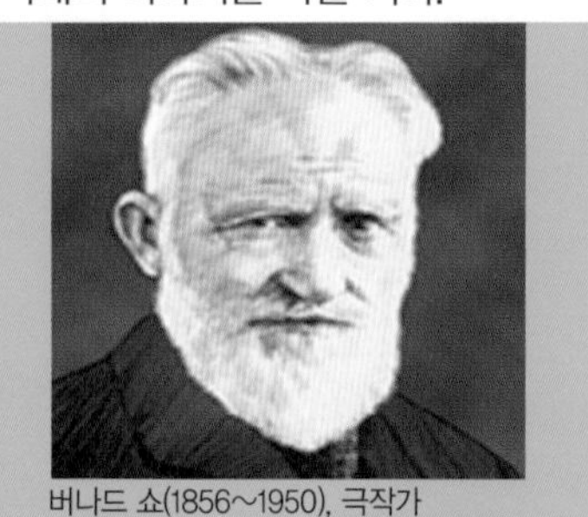
버나드 쇼(1856~1950), 극작가

무대 한쪽에는

다음과 같은 글이 적혀 있다.

이곳은 가톨릭 교회다.

이곳은 주님의 교회다.

그리고 그 밑에는 작은 글씨로 이렇게 쓰여 있다.
이 교회는 예수와 바울에 의해 창건되었다.

자신을 주님의 도구라고 생각하는 사람들이 들어가고 있다.

자, 한번
들어가 보세.

왜 이렇게 많은 사람들이
함께 모여서 종교 의식을
치러야 하는지 모르겠어.

넌 프로테스탄트라
이해하지 못할
거야.
그럼요.
끄덕

그때 그의 눈에 교회 벽에 붙은 포스터가
들어온다.

병사들이여!
그대가 주님을
믿는다면 주님에게
말로써 전하지
마시오. 주님은
말로써는
접근할 수 없소.

다시 그대들에게
충고하는데, 주님에
대해 친구들끼리
논의하는 것을 멈추시오.
아무것도 얻지 못할
것이오. 가치가 높고
중대한 것은 언어를
초월하기 때문이오.

신경증 환자와 친구는 교회로
들어갔다.

내부는 이슬람회교 사원, 특히 하기아 소피아 대성당을 닮았다.

성당 안에 그림이나 조각은 없고, 벽에는
격언이 쓰인 포스터가 붙어 있었다.
그대에게
사랑을 베푸는
자에게
아첨하지
말라.

이때 신경증 환자 앞으로
커다란 기둥 하나가 서 있는
걸 발견했다.

시선을 돌리니 환자 앞에 많은
사람들이 서 있었다.
웅성
웅성

환자는 그들과 친구가 아니었기에 홀로 서 있었다.

그들은 입을 모아 '우리는 주님의 힘 아래 있음을 고백하나이다. 하느님의 나라가 우리 안에 있습니다'라고 노래했다.

그들은 이것을 아주 엄숙하게 세 번 반복했다.

우리는 주님의 힘 아래 있음을 고백하나이다.
하느님의 나라가 우리 안에 있습니다.

곧 오르간으로 찬송가가 연주되었다.

어떤 때는 가사 없이 음악만 나왔고

때로는 다음과 같은 가사가 반복되었다.

그 밖의 모든 것은
휴지 조각에 지나지 않는다

휴지 조각은 주님의 아래에 있지 않아 은총을 받을 수 없는 상황을 암시한다.

합창이 끝나고 제2부가 시작되었다.

2부

제2부는 학생 집회 같다. 진지하게 시작된 모임은 점점 쾌활해졌다.

사람들은 악수를 하고 서로 이야기를 나눈다.

포도주와 음료수들을 마실 수 있다.

사람들은 교회의 번영을 축하하는 건배를 한다.

챙

누군가 스피커를 통해서 교인의 숫자가 늘었다며 축하한다.
찰스도 우리 교회의 교인이 되었습니다.

한 사제가 환자에게 이렇게 말한다.
그저 노는 시간 같겠지만 이것은 공식적으로 승인된 자리입니다.

우리도 어느 정도는 미국식에 적응해야 합니다.
많은 사람들을 상대하려면 어쩔 수 없습니다.

그러나 우리는 금욕주의에 반대한다는 점에서 미국 교회와 다릅니다.

잠에서 깬 환자는 안도감을 느꼈다.
휴~

꿈을 다룬 책은 많아. 그러나 꿈의 심리를 다룬 책은 별로 없지.
잘 꾸면 대박
꿈풀이
꿈의 해몽

그 이유는 꿈을 심리학적으로 분석하는 일이 조금 위험할 수 있기 때문이야.
꿈

프로이트는 정신병을 연구하여 용감하게 '꿈의 심리학'이라는 분야를 개척했어.
Dream World

기본적으로 융은 프로이트의 의견에 동의했어.

하지만 융은 프로이트와 달리 꿈을 있는 그대로 받아들였어.
꿈은 잠재된 소원이 왜곡되어 나타나는 겁니다. 그러니 꿈의 내용을 있는 그대로 받아들이면 안 됩니다.
아닙니다. 꿈을 왜곡하지 말고 있는 그대로 받아들여야 합니다.

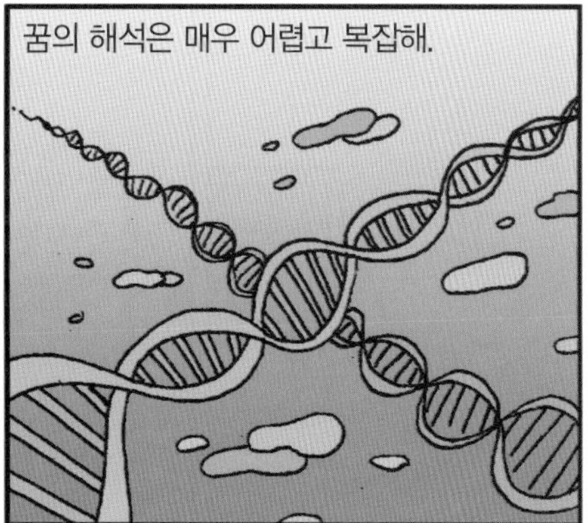

꿈의 해석은 매우 어렵고 복잡해.

꿈에서는 비현실적인 일이
자주 일어나기 때문이지.
내가
새처럼
날았어!
휙

그러나 융은 꿈에 대해 어떠한
선입견을 두는 것에 반대했어.
선입견
잘라
버리자!
꿈

꿈이 우리를 잘못된 방향으로 이끈다는
주장에 반대했지.
Z Z Z
꿈

꿈은 의식이나 의지가 사라질 때
나타나는 자연 현상이라고
주장했어.
의식
의지
꿈

또한 신경증에 걸리지 않은 사람들이
꿈을 꾸는 것도 자연스러운
현상이라고 말했지.
꿈을 설명할 때는 꿈과 관련이 없는
외부적 요인을 끌어들여 설명하는
일을 자제해야 합니다.

이런 이유로 융은 아까 상상 암을
앓던 환자의 꿈은 실제로 종교에
대해서 말하고 있다고 생각했어.
정말?
내가?
성경

환자의 꿈은 매우 정교하며
처음부터 끝까지 일관성이
있었기 때문이지.
환자의 꿈

그 꿈에는 나름의 논리와
의도가 있다는 거야.

어떤 무의식적인 동기가 있어서 그것이 꿈으로
나타났다는 거지.
빠…, 빨리
도망쳐야 해!
비틀
철컹!
철컹!

그럼 꿈의 내용을
분석하면서 좀 더 자세히
살펴보자.
삐삐…

꿈의 앞부분에서 환자는
가톨릭 교회를 변호했어.
흡!

뒷부분에는 교회가
세속적인 관점에 순응하고
있는 모습이 보여.

결국 금욕주의에 반대하는
입장을 표현하면서 꿈이
끝나.
갑자기 날~?!
퍽
장 칼뱅 – 금욕주의자

꿈에 나온 사제는 금욕주의에 반대한다고 선언해.
저 여자와 결혼하고 싶다.

그런데 금욕주의에 반대하는 것은 보통 이단으로 받아들여져.
이단

기독교에서 값비싼 포도주나 음식은 허용되지 않아.

꿈의 마지막 부분에서 보이는 쾌락주의적 태도는 우리에게 고대 에피쿠로스 철학을 떠올리게 해.

하지만 기독교적 입장에서 보면 이건 이해받지 못할 일이야.

우리들이 존재하는 한 죽음은 존재하지 않고, 죽음이 현실에 존재할 때 이미 우리들은 존재하지 않는다.
에피쿠로스

죽음에 대한 두려움에서 해방되고자 한다면 살아 있을 때는 안심하고 쾌락을 추구해야 한다.

아닙니다. 우리는 절제하는 생활을 해야 합니다. 단식이나 기도를 통해 구원받을 수 있습니다.
가톨릭 교도

그런 형식에 얽매이지 마세요. 근검 절약하며 성실하게 노동하면 신으로부터 구원받을 수 있습니다.
프로테스탄트

상상 암 환자의 꿈은 언뜻 가톨릭 교회를 권장하고 있는 것처럼 보이지만

기독교적 입장과 어울리지 않는 이교도적인 입장을 옹호하는 것 같기도 해.
똑 똑

이는 당시 유럽의 상황과 많이 닮아 있어.

융이 활동하던 때에
독일에서는 이교도적
경향이 두드러졌어.

Anti crist!

융은 아무도 니체의
디오니소스적 체험을
이해하지 못하기
때문이라고 생각했어.

꺼으~
니체

제1차 세계 대전 이후, 많은 독일인들의 무의식
속에는 디오니소스의 게르만 판이라고 할 수 있는
*보탄의 영향력이 점점 커지고 있었어.

북유럽 신화
– 보탄
제가 치료했던 독일인들의
꿈에서도 보탄을 숭배하는
모습이 드러났지요.

* 보탄: 오딘. 북유럽 신화에 나오는 에시르 신족의 최고신을 고대 인도어로 표현한 말.

저는 1918년
한 논문에서 독일인에게
이상한 현상이 나타남을
지적했습니다.

독일인 환자들은
《짜라투스트라는 이렇게
말했다》를 읽은 적이
없습니다.

그들은 니체의 경험을
알지 못했습니다.

프리드리히 니체(1844~1900)

그래서 그들은 자신들의 신을
디오니소스라고 하지 않고
보탄이라고 했던 것입니다.

니체의 전기를 읽어 보면
그가 생각한 신도 실제로는
보탄이었음을 알 수 있어.

실제로
두 신은 공통점이
아주 많아.

환자의 꿈으로 다시
돌아가 보자.

ZZZ...

그의 꿈에 표현된 집단적
감정이나 이교도적 취향 등에
대해서는 이미 살펴봤지.

그런데 꿈에서 주목할
만한 여인이 한 명
있었어.

그녀는 처음에는 가톨릭을 찬미하다가
갑자기 '아아, 여기에는 아무것도 남은
것이 없구나'라며 흐느끼더니 뛰쳐나갔지.

다다
흐흑~!

이 부인은 도대체
누구일까?

또각
또각

그 부인이
종종 제 꿈에
나타나긴 했지만
나는 그 부인이
누구인지 모릅니다.

이런 종류의 여인은
남성들의 꿈에서 큰
역할을 하는데, 이를
아니마(anima)라고 해.

아니마

잠깐 신화를 떠올려 봐.

흔히 신화에는 남성성과 여성성이
한 육체에 함께 공존하고 있어.
신화에서 창조자는
양성(hermaphrodite)적
성격을 가지고 있지.

중세 시대 어떤 학자는 아담 인간에 대해 '남자의 외형을 갖고 있지만 그의 몸안에는 여성인 이브(Eve)를 항상 간직하고 있다'고 주장했어.

아니마는 남성의 무의식에
존재하는 여성의 모습이야.
난
뜨개질이
좋더라.

반대로 여성의
무의식에도 남성의
모습이 있어. 이를
아니무스(animus)라고 해.
돌격~!

아니마와 아니무스는
꿈에 자주 등장해.
아니마
아니무스

흔히 사람의 모습으로 나타나
불쾌한 느낌을 주지.
뭐지?
가위에
눌렸나?

무의식 자체는 부정적인 것이 아니야. 주로
아니마와 아니무스가 인간의 형태를 취할
때에 부정적인 면이 드러나지.
무의식

특히 이것이 의식에 영향을 미치기 시작할 때 더욱 두드러져.
빵빵
붕붕
엄마!
원래 꼼꼼한 남자
원래 차분한 여자

'교회에 관한 꿈'에서 아니마가
부정적인 반응을 하는 것은 그 환자의
아니마가 그의 생각에 동조하지
않는다는 증거야.

이러한 무의식의 반응은
환자에게 반성을 촉구하고
있어.
잘못
했어요.

환자의 꿈은 다음과 같이 분석되지.
자네의 종교가 무엇이지?
자네는 가톨릭이야.
그럼 그것만으로도
충분하지 않은가?
꿈

금욕주의 좋지!
하지만 교회도 인정할 건
인정해야지! 영화나
라디오가 뭐가 나빠?
꿈

포도주를 조금
마신다거나 친구들과
유쾌한 시간을
보내는 것도 좋잖아?

꿈을 좀 더 세밀하게
분석해 보자.
꿈
팍

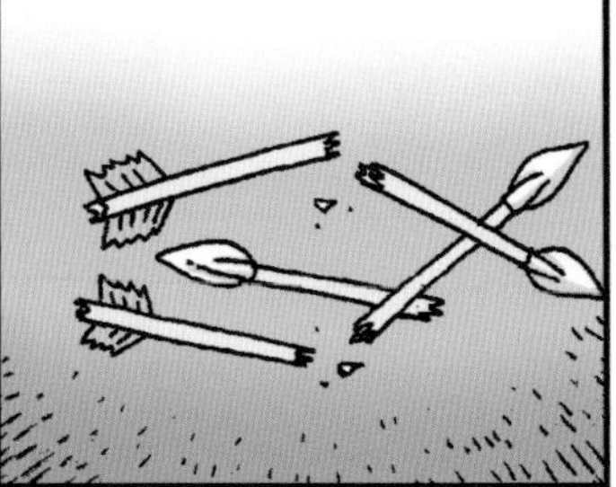
지극히 합리적이고 지적이었던
이 환자는 지금까지 품어 온
신념이나 이상이 사라진 상황을
맞닥뜨렸어.

이런 상황에 놓이면 많은
사람들은 어린 시절에 가졌던
종교로 돌아가지.

그러나 이 남성은 종교를
다시 믿으려고 노력하지
않았어.

다만 그의 무의식이 꿈을
통해 종교를 확인했을
뿐이야.

그의 꿈에서 종교의
영적인 측면은
세속적으로 변해 버렸어.

그의 도덕적인 갈등은 날카로움을
잃고 정신적 고통이나 스트레스는
잊히고 있어.

꿈에 나타난 종교의 모습은
세속적이고 타락한 모습이야.

종교가 거룩함을 잃어버린 것이지.
종교

누미노제의 종교 경험이라고
할 수도 없어.

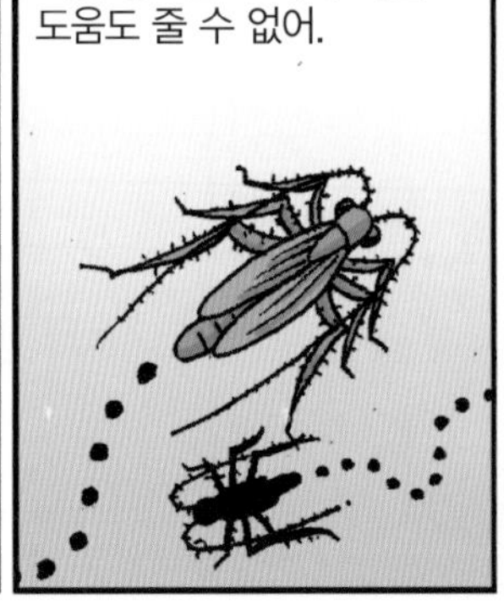
이런 종교는 그에게 어떤
도움도 줄 수 없어.

꿈은 이처럼 심리학자에게 환자의 종교적 태도에
관한 정보를 알려 줘.
꿈
흠~!

다음은 환자가 꾼 두 번째 꿈 이야기야. 이번에도 그대로 전할게.
2

나는 어떤 엄숙한 집에 들어가고 있었다.

이 집은 '자기 발견의 집'이라고 불린다.
자기 발견의 집
?

그곳에는 많은 촛불이 있었는데 촛불은 다섯 개의 꼭짓점을 가진 피라미드 모양으로 배열되어 있다.

건물의 입구에 늙은 문지기가 서 있다.

다른 사람들은 집으로 들어가지만 그는 그 자리에 가만히 서 있다.

늙은 문지기는 건물에 들어가는 사람들에게 말한다.
다시 나올 때는…
깨끗해져서 나옵니다.

나는 문지기의 이야기에 집중한다.

그때 어디선가 이런 소리가 들린다.
그대는 지금 잘못하고 있다.

종교는 *여인의 상(image)을 없애기 위해 그대가 지불하는 세금이 아니기 때문이다.
종교

여인의 상 없이는 어떤 일도 불가능하다.
하…

종교를 단지 정신 생활의 한 부분을 대체하기 위해 이용한다면 그것은 재앙이다.
툭
악!

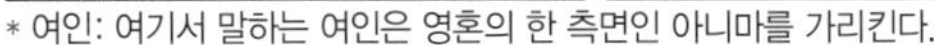
* 여인: 여기서 말하는 여인은 영혼의 한 측면인 아니마를 가리킨다.

그들은 잘못하고 있고 저주를 받게 될 것이다.
저주
헉!

종교는 대상이 아니다. 정신 생활의 최종적이고 완전한 성취물이다.
종교

그대는 생명의 충만함으로 종교를 받아들여야 한다.
종교

그래야 축복을 얻을 수 있을 것이다.
행복

곧이어 멀리서
음악이 들려온다.

오르간 연주이다. 그것은
바그너의 음악을 상기시킨다.

건물을 나오자마자 불타는 산이
보이고 그 순간 나는 '꺼지지 않는
불은 신성하다'는 사실을 깨닫는다.
활~ 활
헉!

이번 꿈은 첫 번째
꿈의 연속이야.
첫번째꿈

이번 꿈에서는 교회가 엄숙한
자기 발견의 집으로 바뀌었어.
자기 발견의 집

환자는 이 꿈으로 깊은
감명을 받았다고 말했어.
감동

환자에게 이 꿈은 매우
중요한 체험이었어.

이 꿈으로 인해 그의
삶에 근본적인 변화가
생겼기 때문이야.
삶

이제 꿈을 해석해 보자고. 꿈 초반에 촛불이
나오는데 이는 꿈속의 불타는 산을
예견하는 것 같아.

'꺼지지 않는 불'은 신의
속성이야.

헤라클레이토스 이후 생명은 '영원히
살아 있는 불'로 묘사되었지.
헤라클레이토스
(B.C. 544?~B.C. 484?)

이런 표현은 구약 성서에도 나오지.
구세주께서
말씀하시길, 나에게
가까이 있는 이는 불에
가까이 있고 나에게 멀리
있는 이는 천국에서도
멀리 있게 되느니라.

그리스도는 자신을
'생명'이라 불렀어.

꿈의 목소리에서 종교를
생명의 충만함으로
받아들이라고 했던 말
기억나지?
종교
생명의 충만함

여기서 네 개의
꼭지를 이루도록
배열된 촛불은
신을 상징하지.

불꽃은 생명의
상징이요, 신(God)의
상징입니다.

치칙

그런데 불꽃이 네 개로
이루어져 있습니다.
숫자 4는 신이나
생명을 의미합니다.

서양에서는 오래전부터 4라는 숫자에 상징적인 의미를 부여해 왔어.

피타고라스
(B.C. 580?~B.C. 500?)
그리스 철학자

고대 그리스의 수학자 피타고라스는 '테트락티스'라는 개념을 정의했어. 테트락티스는 '4의 수'라는 뜻으로 불, 공기, 물, 땅을 상징해.

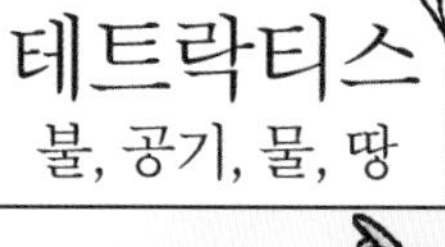
테트락티스
불, 공기, 물, 땅

숫자 4는 기독교적인 상징이나 신비주의 사상에도 나타나.
내가 주인공?
4
4
4

뿐만 아니라 영지주의 철학에도 큰 역할을 미쳤지. 중세를 거쳐 18세기에 들어와서도 마찬가지였고 말이야.
안정된 숫자 4!
데굴

두 번째 꿈에서 숫자 4는 가장 의미 있는 요소야.
4

꿈에서 보이는 종교 예배는 무의식에 의해 창조된 거야.

첫 번째 꿈에서는 환자가 친구와 함께 교회에 들어갔지만

두 번째 꿈에서는 혼자 자기 발견의 집으로 들어갔어.
자기 발견의 집이라….

여기에서 그는 어느 한 노인을 만나. 현자가 문지기의 모습으로 나타난 거야.

현자는 자기 발견의 집에서 행해지는 예배를 정화 의식이라고 말해.
정화

그런데 환자가 말한 꿈 이야기만으로 정화가 무엇인지 분명하게 알기는 어려워.
?
?
정화

아마 정화는 정신 통일이나 명상을 말하는 것 같아.

어쨌든 정화 의식에 참여한 결과, 환자는 무아지경에 빠졌고 환자의 귀에 어떤 소리가 들려왔지.

?

단호한 목소리에 환자는 어떤 말도 할 수 없었어.

이런 목소리를 내는 인물은 흔히 명령권을 가진 이들이야.

GO!

예를 들면 군사령관, 선장, 의사 등의 모습으로 나타나.

하지만 이 꿈에서처럼 누가 어디에서 말하는지 알 수 없는 경우도 있어.

?

환자는 그 목소리의 의견이 자신의 생각과 달라도 그냥 받아들여.

소리
환자

이 소리는 무의식을 대표한다고 말할 수 있어.

꿈에서 소리가 들리는 일은 그리 특이한 경우가 아니야.

융은 이와 비슷한 사례를 여러 차례 관찰한 뒤,

흠.

무의식이 때로는 현실적이며, 의식적인 통찰을 능가할 수 있다고 생각했어.

무의식

환자의 꿈을 통해 환자가 의식적으로는 종교를 거부했지만 무의식은 이미 종교를 받아들였음을 알 수 있어.

낚시나 갈까?
일요일인데 교회 가야지~!

어떤 심리학자들은 이처럼 꿈에서 들리는 목소리가 환자 자신의 의식이라고 주장해.
후다닥
꿈속에서 로또 번호가 ~!
Lott

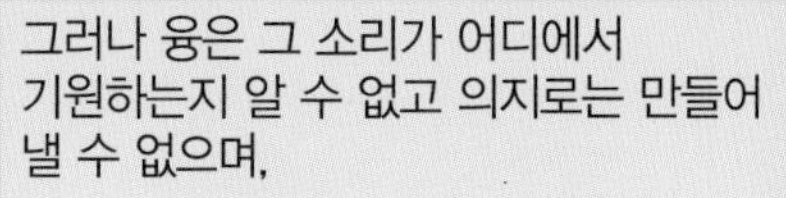
그러나 융은 그 소리가 어디에서 기원하는지 알 수 없고 의지로는 만들어 낼 수 없으며,

다 꽝이네….
개꿈….
복권 6/45

그 소리가 알려 주고자 하는 정신적인 내용을 알 수도 없다고 했어.
소리 내용
그걸 알면 얼마나 좋을까.

소리는 무의식에서 나오는 것이니까.
소리
무의식

인간의 인격은 두 가지 요소로 성립되는데 첫째는 의식, 둘째는 무의식이야.
무의식
의식
인격

이 중에서 의식적인 부분은 분명하게 정의 내릴 수 있어.
의식

그런데 인격 전체를 정의하기는 힘들어.
?
?
?

인격의 범위를 한정 지을 수 없는 건 무의식적인 부분 때문이야.
인격
무의식

어떤 생각들은 의식보다 더 완전한 정신에서 나와.
생각

이러한 생각은 의식에 의해서는 나올 수 없는 탁월한 분석이나 통찰 혹은 지식을 포함해.

이것이 직관(intuition)이야. 직관은 우리가 만드는 것이 아니야.
직관

직관이 우리에게로 오는 거야. 총명한 사람만이 다가오는 직관을 잡을 수 있어.

직관

꿈에서 들려오는 목소리는 환자의 직관에서 나오는 것일지도 몰라.

이런 목소리는 현실에서보다 더욱 날카롭고 명철하지.

소리가 말하는 내용에 따르면 환자는 종교를 '여인의 상'을 대체하는 존재로 이용하는 것 같아.

여기서 '여인'이라는 말은 영혼의 한 측면인 아니마를 가리켜.

아니마

따라서 목소리는 환자를 다음과 같이 꾸짖고 있는 거야.

너는 왜 네 자신의 무의식으로부터 도피하려 하느냐!
윽!

너는 종교를 이용하려고 네 영혼의 일부만 인정하는구나!
그러나 종교는 그 자체로 완전하며 생명의 완성이니라.
나, 나는….

환자가 느끼는 공포심은 현대를 지배하고 있는 편견들을 반영하고 있어.

편견

반면에 그 소리는 관습을 파괴하고 있지.

쨔ㅡ랑ㅡ
관습

그 소리는 환자에게 종교를 진지하게 받아들이라고 이야기하고 있어.

그 소리 때문에 현대인의 지성과 합리성이 보여 주는 편견은 무너지고 말아.

편견
…낑낑…

중대한 변화의 시점에 놓인 환자는 자신이 미쳐 가는 것이 아닌가 하고 불안해했어.

변화
저길 넘으라고? 어떻게!

그는 이런 모험으로부터 도피하고 싶었을 거야.

"폴폴"
이게 더 쉽지 않을까?
정상

이때 신경증이 유익한
효과를 나타냈어.
신경증

자신의 종교적 체험을 무시하려고 할 때마다
신경증 증세가 나타났기 때문이야.
그래도
출근
하자.
불이 너무
생생해서 잊을
수가 없어.
속이 안 좋아,
위암일 거야.
어떡하지?
꿈을
받아들일까?
아니면
상상 암으로
고통받을까?

꿈속에서 불을 끌 수 없는 환자는 꿈이 주는
누미노제를 받아들일 수밖에 없어.
사…살았다!
누미노제

결국 그는 꿈에서 겪은 종교적
체험을 겸허히 받아들였어.
오,
주여!

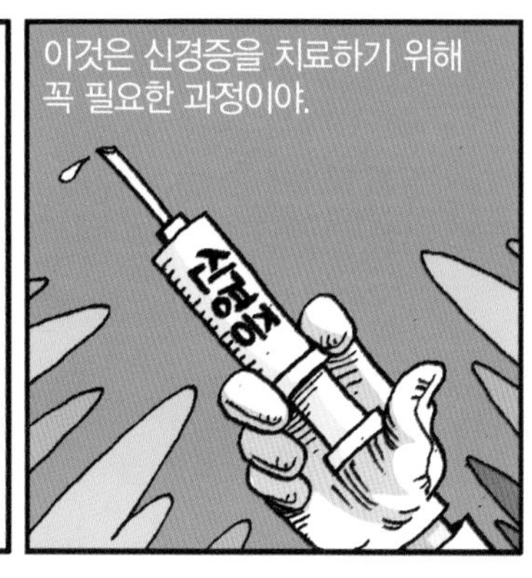
이것은 신경증을 치료하기 위해
꼭 필요한 과정이야.
신경증

오늘날 사람들은 종교와 교리를 같은
것이라고 생각하지만, 사실 교리는
종교의 대용품에 불과해.
종교
교리

물론 교리도 간혹 중요한
기능을 해.
교
리

교리에서 말하는 종교 의식을 통해서
직접적인 종교 체험을 대신할 수
있으니까.

가톨릭 교회에서는 교회가
종교의 권위를 드러낸다고 봐.
바티칸

반면에 프로테스탄트
교회에서는 믿음과
복음적 메시지가
중요하지.

사람들은 종교의 권위 아래서 보호받게 돼.
종교 권위
믿음
복음 메시지

개인이 직접적으로 종교
체험을 했을 때,

교회는 이 체험이 과연 신으로부터 온 것인지, 악마로부터 온 것인지, 과연 받아들여야 하는지를 결정해 주지.
꿈에서
악마가 나타나
저를 괴롭힙니다.
도와주세요.
그것은 악마로부터
온 것이니 무시하고
신에게 기도하십시오.
정말
기도했더니
악몽에서
벗어났어요.
하느님,
감사합니다.

그런데 융은 종종 교회의 결정을 믿지 못하는 사람들을 봤어.
그분이 나타나서
말씀하시기를….
쓸데없는
소리는
잊게.

이런 경우 사람들은 격심한 갈등과 혼란에 휩싸여.
정말
잊어도
될까?
아아,
불안해서
미치겠어.

스스로 미치지 않을까 두려워하기도 하지.
쉬
이…

그러니 정신 건강을 위해서
도그마나 종교 의식이 필요할
때도 있어.

가톨릭 신자의 경우 고해성사나
영성체를 통해서 자신이 감당하지
못할 직접적인 종교 체험으로부터
스스로를 보호하지.
영성체
고해성사
종교
체험

그런데 프로테스탄트들은 도그마나 종교
의식의 기능이 약하기 때문에 보호받기가
쉽지 않아.
도그마
종교의식

어떤 환자는 자기의 신경증이
프로이트의 말처럼 성적인 원인에서
비롯되었다고 확신하기도 해.
내 병은….
아내 때문에
생겼어.

융은 이런 환자의 생각을
비난하지는 않아.
여보~
헉!
이해해!

때로는 이런 이론이 고통스러운
정신적 상황을 견디는 데
도움이 되거든.
프로이트 성
이론
휴~.

만약 어떤 확신이 자신을 지켜 주는 방어벽 역할을 한다면 이것을 굳이 허물 필요는 없어.

확신

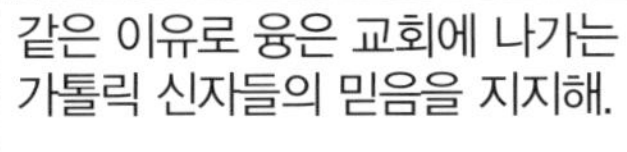
같은 이유로 융은 교회에 나가는 가톨릭 신자들의 믿음을 지지해.

뎅
뎅

사람들 각자 자신만의 심리적 방어벽을 가지고 있어야 하기 때문이지.

효과적으로 자신을 지켜 준다면 이것이 옳은지 그른지는 그다지 중요하지 않아.

찍찍…

다만 방어벽이 꿈 때문에 파괴되는 경우도 있어. 이런 때 심리학자는 꿈을 분석하여 환자를 도와줘야 해.

꿈
쾅
쾅

상상 암 환자의 경우는 가톨릭 교회가 제공하는 방어벽이 파괴되는 과정에 있다고 볼 수 있어.

으악!

의사가 그에게 고해성사를 권했다면 거들떠보지도 않았을 거야.

약이나 빨리 지어 주시죠?
힝~
웬 설교실까?

또 프로이트의 주장처럼 성적인 원인으로 설명했어도 소용 없었을 거야.

소용 없어요 …
털썩
아미타불…

실제로 이런 이론들은 환자에게 별로 도움이 되지 않아.

찡~

융은 환자의 꿈에 나온 목소리야말로 지금의 조각난 인격을 긍정적으로 발전시키는 데 도움을 줄 것이라고 확신했어.

저 목소리를 귀담아듣게!
아, 네!

실제로 이 조언은 환자에게 큰 도움이 되었어.

땡큐, 박사님!

합리주의를 떠받드는 현대인들은 '과학적(scientific)'이라는 말만 붙으면 무엇이든 믿는 경향이 있어.

그런데 아무리 대단한 과학적 이론이라고 해도 심리적인 측면에서 보면 그 가치가 종교적인 도그마보다 더 훌륭하다고 볼 수는 없어.

도그마
꽝
꺅!
꽝

도그마는 구체적인 이미지를 통해 비이성적인 부분을 표현하지만

비이성적
도그마

과학 이론은 추상적이고 이성적이기 때문이야.

이
론

따라서 정신과 같은 비이성적인 부분을 설명하려면 도그마 쪽이 훨씬 더 적합해.

도그마

도그마는 인간이 된 그리스도, 십자가, 삼위일체 등과 같은 직접 체험에 의해 뒷받침되고 있어.

도그마
성부
성자
성령

도그마는 감정적인 요소도 잘 포용해.

감정
도그마

학문적 이론은 곧 새로운 이론에 의해 대체되지만 도그마는 여러 세기를 통해 이어지지.

얼쑤~
도그마

신이면서 인간인 그리스도의 고난은 최소한 2000년 이상 된 교리이며 삼위일체 개념은 그보다 더 오래됐어.

도그마는 과학적 이론보다
더 완전하게 영혼을 표현해.
도그마

학문은 단지 의식적인
부분만을 표현할 뿐이야.
의식

그것도 추상적인 개념으로 말이야.

반면에 도그마는 무의식 과정을 참회 · 희생 · 구원 등과 같이
생생한 드라마 형태로 표현하지.

이런 관점에서 보면 프로테스탄트의 교파가
분열되는 현상은 당연한 일이야.
Bye~!
우리와
뜻이 맞지
않아!
접!

프로테스탄트는 무의식에 포함된 중요한 요소인
신성한 이미지를 잃어버렸기 때문이지.
신성
꼬르륵

도그마와 같은 방어벽이 없어진 뒤로는 다시 옛날 옛적의
호기심과 정복욕에 사로잡히게 됐어.
다가각
도그마
개혁

물론 프로테스탄트는 종교 개혁
이후 학문과 기술 발전에
아주 큰 역할을 했어.
기특하지?
학문과 기술

그런데 발전에 현혹된 인간의
의식은 무한한 힘을 가진
무의식의 존재를
망각했어.
무의식

아무리 학문과 기술이 좋다고 해도 세계
대전처럼 무시무시한 전쟁이 일어나는
것을 보면 우리의 정신이 과연 건강한지
의심하게 되지.

오늘날 많은 국가들이 자유 언론을 억압하는 전체주의에 빠지고 있어.

또 이상적인 국가를 건설한다면서 서로를 죽이고 있지.
UTOPIA
와
와

지금의 상황을 이성만으로
억제하기는 어려울 거야.
이성

이건 예견된 일이야.

그렇다고 프로테스탄트 운동 혹은 르네상스
운동에 그 책임을 전가할 수는 없어.
무죄

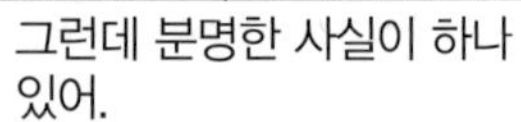

그런데 분명한 사실이 하나
있어.

현대인들은 로마 시대 이래 신중하게
건설하고 보강해 온 기독교 교회라는
방어벽을 잃어버렸다는 사실이야.

이로 인해 우리는 불안과 공포의 파도에
휩싸이게 되었어.
화르

소위 말하는 문명 사회에 만연한 인간의 잔인함을 한번 봐!

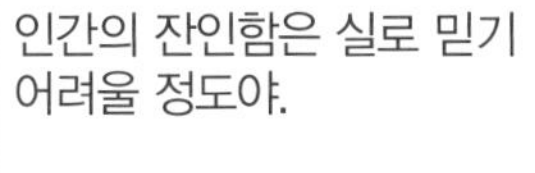
인간의 잔인함은 실로 믿기 어려울 정도야.

이 모든 것은 인간의 본질적인 정신에서 비롯된 거야.

인류가 파괴의 수단으로 고안한 무기들은 어떻게 만들어졌을까?

남에게는 절대 피해를 주지 않을 것 같은 이성적인 과학자들에 의해 만들어졌지.

사람들은 평소에는 지극히 일상적인 삶을 살아.

그런데 이런 평범한 사람들이 무리를 이루면 눈에 보이지 않는 비인격적인 힘이 생겨나.

이로 인한 공포를 전 세계가 경험하게 되지.

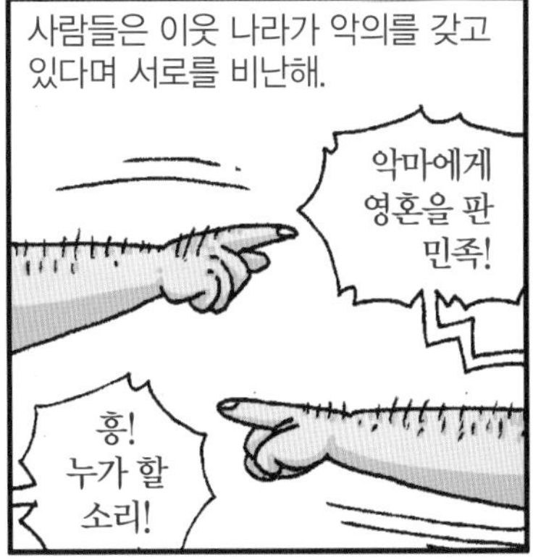
사람들은 이웃 나라가 악의를 갖고 있다며 서로를 비난해.
악마에게 영혼을 판 민족!
흥! 누가 할 소리!

사실은 자기 자신이 악마 같은 마음을 갖고 있다는 걸 모르고 말이야.

그래서 이웃의 탓으로 돌리려는 거야.
충동
생각
으아악!

사람들은 더욱 무시무시한 무기를 만들어 내.

더 큰 문제는 이런 경쟁을 신성한 의무라고 생각한다는 거야.

이웃 나라 사람들도 똑같이 행동해.

모두가 거대한 불안에 휩싸이고 말지.

프로테스탄트들은 오로지 신에게만 의지해.

신부님에게 행하는 고해성사나 사죄 등으로 죄가 없어지진 않는다고 믿거든.

그들은 자신의 죄는 마음속에서 양심에 따라 반성해야 한다고 생각하지.
이 짓을 그만둬야 하는데….

양심은 사람들을 불편하게 해.
양심

하지만 그것이 제대로 된 자기 비판으로 이어진다면 긍정적인 영향을 끼친단다.
내 탓!

자기 비판은 자기 자신의 심리를 이해하는 데 매우 중요한 역할을 해.
자신의심리

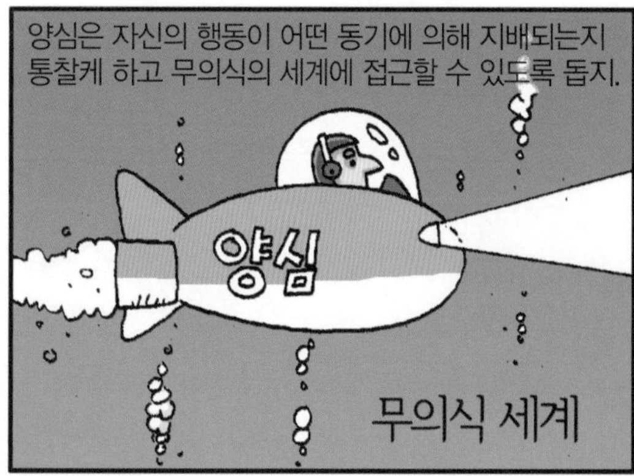
양심은 자신의 행동이 어떤 동기에 의해 지배되는지 통찰케 하고 무의식의 세계에 접근할 수 있도록 돕지.
양심
무의식 세계

교단이나 교회 조직 없이 스스로 신에 의지하는 프로테스탄트들은 자기만의 종교 체험을 할 수 있어.
파
팟

그런데 무의식을 체험하는 것이 환자들에게 무슨 의미가 있을까?

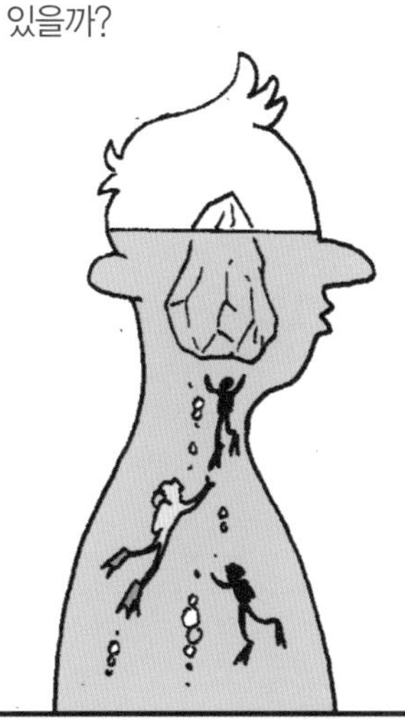

사실 이런 체험의 가치를 잴 수 있는 객관적인 척도는 없어.

체험의
가치

우리는 체험자 자신이 무의식에 부여하는 의미를 그대로 인정하는 수밖에 없지.

융은 자신이 직접 체험의 예로 든 꿈들을 경험해 보지 않고서는 결코 이해할 수 없다고 말해.

개를 조심해야겠군.

비록 별거 아닌 체험이라도 이를 경험한 사람들에게는 생명과도 같은 중요한 일이야.

별거 아닌 게 아닌데!
나를 살아가게 하는 힘이라고!
왈
왈

그 체험이 비록 일시적이고 불완전하다 할지라도 그것은 누군가에게는 진리에 가까우니까.

왈
배고팠다고 진작 얘길 하지….
에휴~.

개개인의 직접적인 체험은 매우 중요해.

생명을 떠받치고 있는 것은 개개인이기 때문이지.

6장 사위일체(四位一體)

똑같은 꿈을 꾸는 사람들은 없어.

쿨쿨…
쿨쿨…

하지만 꿈의 내용을 살펴보면 비슷한 점이 많아.

여러 민족의 신화나 전설에서 반복되는 내용을 쉽게 찾을 수 있잖아.

사람들이 꾸는 꿈에도 같은 원리를 적용할 수 있어.

쿨쿨…

융은 서로 닮았으면서 반복되는 내용의 모티브를 원형(archetype)이라고 불렀어.

원형이란 신화를 구성하는 요소이자, 지구 어디에서나 볼 수 있는 집합적 성격을 지닌 형식이나 형상들을 말해.

arche는 그리스 어로 '시작, 원초, 원리, 근원'을 뜻하며,
type는 '각인'을 뜻하는 단어야.

원형의 모티브는 인간 정신에서 유래하고, 인류의 이동이나 전통 문화에 의해 계승돼.

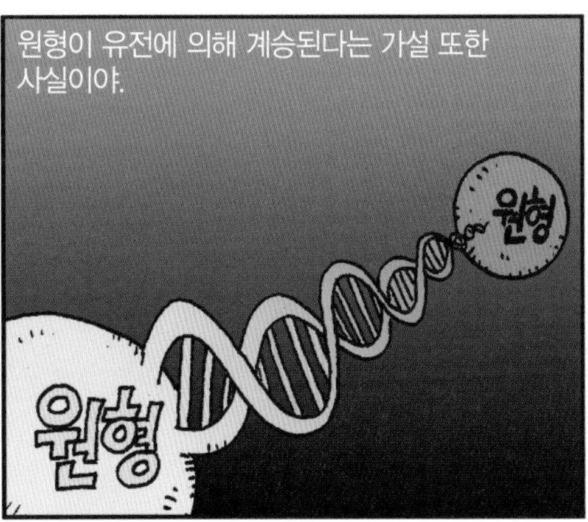
원형이 유전에 의해 계승된다는 가설 또한 사실이야.
원형
원형

유전에 의해 원형의 이미지가 자동적으로 재생산되지.

앞에서 말했던 환자의 꿈에서 우리는 하나의 원형을 볼 수 있어.
원형

촛불이 피라미드 모양으로 배열된 모습을 떠올려 봐.

이 배열은 4라는 수가 지닌 상징적 의미를 강조하고 있어.
4

융이 분석한 환자들의 꿈에 나타난 4라는 숫자는 무의식의 산물이었어.
4 4 4...

반면에 현대인들에게 숫자 4는 그다지 큰 의미가 없어.
4? 그냥 숫자일 뿐이지.
관심 없어~

4라는 숫자는 무의식과 관련이 있어.
무의식
4 4

4라는 숫자가 지닌 의미는 앞장에서 이야기했던 두 번째 꿈에서도 잘 나타나.
4

이 사실을 토대로 융은 숫자 4가 성스러움을 의미한다는 결론을 얻었어.
4

소박한 우리의 선조들은
자신이 경험한 무의식을
물질에 투사시켰어.

옛사람들은 신비스러운 무의식의 세계를 비판적인 사고
없이 곧바로 물질에 투사했지.
天
下

당시 사람들은 물질의 성질에 대해서
잘 몰랐기 때문에 쉽게 물질에
무의식을 투사할 수 있었어.
쿵!

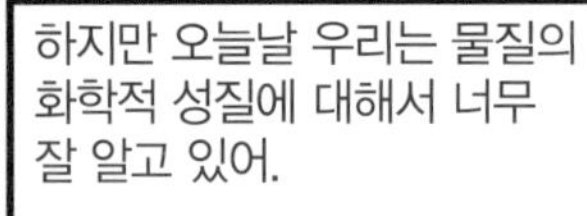
하지만 오늘날 우리는 물질의
화학적 성질에 대해서 너무
잘 알고 있어.

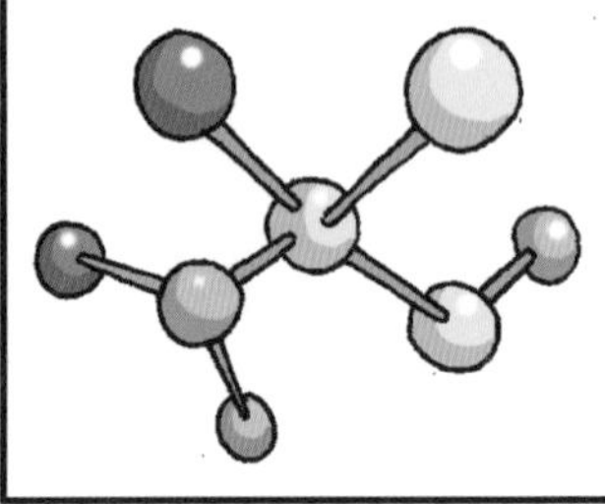

이제 더 이상 예전처럼 무의식의
세계를 물질에 투사하지 않지.
퓨-

지금 우리가 무의식적으로 알고
있는 것들은 오래전 의식의
수준에서 논의됐던 거야.
우리 마을을
굽어 살펴
주시옵소서….
?

예를 들어 고대 철학자들은
원이 신을 상징한다고 믿었어.
神

대표적으로 플라톤은 이렇게 말했어.
모든 형상 중
가장 단순하고
완전한 것은
한 점에서 끝나는
원이다.

연금술사들은 물고기의 알처럼 둥근 모양이, 물질 속에
잠들어 있는 신의 모습이라고 했어.

또 그들은 원이 물질의 비밀을 여는 열쇠라고 믿었지.

그런데 신의 상징으로 인용했던 원은
숫자 4를 포함해.
4
4

플라톤은 그의 저서 *《티마이오스》에서 이렇게 말했어.
오직 완전한 존재만이 둥근
세계의 네 가지 구성 요소로
이루어진 테트락티스를
해체할 수 있다.

* 《티마이오스》: B.C. 360년 경에 쓰여진 플라톤의 저작으로 우주와 인간, 혼과 몸 등에 관한 이야기가 대화체로 쓰여 있다.

1550년에 출간되었던 연금술 관련 서적
《현자의 장미원》에는 다음과 같은 글이 있어.
남자와 여자로부터
둥근 원을 만들라.

그다음 사각형을
추출하고 그것으로부터
삼각형을 만들라.
그리고 원을 만들라.

그러면 당신은
현자(philosopher)의
돌을 얻을 것이다.

'philosopher'는 '지혜를
사랑하는 사람'이라는 뜻으로
보통 철학자를 뜻하지.
그런데
'현자'는 뭐야?

현자(賢者)는 현명하고 지혜로운
사람을 뜻해.
과거 연금술사들을
philosopher라고
부르기도 했어.

왜?

연금술사들이 물질의 신비로운
변환 과정을 연구했거든.

보통 철학자라고 하면
플라톤이나 소크라테스 같은
이들을 말하잖아?

맞아, 그래서 philosopher를
철학자가 아닌 현자라고
번역한 거야.
플라톤
소크라테스

그러면 현자의 돌
(philosopher's stone)은
뭐야?

연금술이
뭔지는 알지?
Gold24k
금이 아닌 물질을
금으로 만드는
기술이잖아.

맞아, 그때 현자의 돌이
필요해. 사람들은 연금
작업의 최종 단계에서
현자의 돌이 만들어질
거라 믿었어.

현자의 돌이 대체
어떤 물질인데?

현자의 돌은 금이 아닌 것을
금으로 바꾸는 능력을 가지고
있어. 또 인간을 젊게 하고
병을 치료하지.
일종의 만능 물질이자
만병통치약이지.

많은 연금술사가 이것을
만들어 내기 위해 일생을
바쳤지만 결국은 모두
실패로 끝났어.
현자의 돌

현자의 돌은 환상 세계에서나
존재하는 물질이었지.
현자의 돌

과거 연금술사들은 신이 네 개의 요소를 창조하고 그것을
통해 신의 존재를 알린다고 생각했어.

원이 4등분 되는 것도 신이 한 일이라고 여겼어.

4분할, 4의 종합, 4단계 등은
연금술사들에게 끊임없는
탐구의 대상이 되었지.
4
4
4

이렇듯 4라는 숫자가 매우 중요하게
여겨졌지.
4
4
4

그런데 융의 환자는
왜 '4'와 연관된
꿈을 꿨을까?
꿈

융은 그 이유를 알지 못한다고 말했어.
다만 4와 관련된 꿈을 꾸는 것이 이례적이지 않다는 사실은 알고 있죠.

중세 시대에도 연금술사들에 의해 숫자 4가 자주 연구되었습니다.
중세 연금술사들을 그린 그림

그러나 저는 숫자 4의 상징성이 이때 발생했다고 생각하지 않습니다.
4

이는 플라톤의 《티마이오스》에서도 언급될 뿐만 아니라 지구 어디에서든 발견됩니다.
4
4
4

예를 들면 아메리카 인디언들도 4를 매우 중요하게 생각했습니다.
4

옛날 사람들은 4라는 숫자가 세계를 창조한 신과 관련된 상징이라고 믿었어.

그런데 현대인들은 4를 신성하게 여기는 옛날 사람들을 잘 이해하지 못해.
?
4
4 4 4

융은 4가 가지는 상징에 대해 들어 본 적이 없는 사람들이 꿈에서 이 상징을 접했을 때의 반응이 매우 궁금했어.
4 4

융은 자신이 주관적으로 환자를 분석하지 않도록 매우 주의했어.
신중

꿈에서 4를 본 사람들 스스로의 해석이 궁금했기 때문이야.
4?
뭐지? 죽는다는 뜻인가? 아니면 로또 번호?

융은 꿈을 꾼 사람들에게 4가 무엇을 의미하는 것 같은지 물었어.
자세히 말해 보세요.
그러니까 그게….

융의 질문에 대부분의 사람들은 자기 자신 안에 있는 무언가를 상징한다고 대답했어.
빛을 담은 모습은 마치 고래 같기도 하고…, 거북 같기도 하고….
흐릿하긴 하지만….
흠…

그들은 새로운 생명을 창조하는 태양의 이미지를 이야기했지.

어쩌면 《구약 성서》에 나오는 예언자* 에제키엘을 본 것일 수도 있어.

하지만 꿈을 꾼 사람들이 신의 세계에 대해 이야기하기는 쉽지 않아.
밖에 빛은 뭐지? 자동차 전조등인가?
꿈 해몽 백과

* 에제키엘(에스겔): B.C. 6세기에 예루살렘과 바빌로니아에서 활동한 예언가.

사람들에게 신은 인간 세상 밖에 존재한다는 선입견이 있거든.

하지만 융은 4라는 숫자가 신의 창조 행위를 드러내는 상징이라고 생각했어.
4

또 현대인의 꿈에 나타나는 상징은 인간 내면에 있는 신을 의미한다고 주장했지.

다만 대부분의 사람들은 신이 비과학적이라고 생각하여 꿈의 상징을 이해하지 못한다는 거야.
신은 어디?
여기…

현대인들은 설사 신을 믿는다고 해도 신의 개념을 이해하는 데엔 소홀했습니다.

하지만 신이라는 신비로운 개념이야말로 무의식과 관련이 있습니다.
신비로움

그렇다고 제가
신의 존재를 증명하려는
것은 아닙니다.

저는 다만 신의 원형적
이미지를 증명하고 있을
뿐입니다.
휙

신이 존재하든 그렇지 않든,
신에 대한 원형적인 이미지를
경험하는 과정이 바로
종교 체험입니다.
원형

융은 여기에서 새로운 사실
하나를 지적했어.
FACT

기독교의 중심적 상징은 3인데, 무의식에서
생성되는 상징은 4라는 사실이야.
성부
성자
성령
무의식
4

왜 그럴까?
?
4

그것은 정통 기독교에서 주장하는
삼위일체의 교리에 악의 원리가 자리할
위치가 하나 더
필요하기 때문이지.
성부
성자
성령

또한 융은 4라는 숫자는 인간 안에 있는 신을 암시할
뿐만 아니라, 신과 인간이 동일한 존재임을
의미한다고 생각했어.
4

그런데 신이 인간과 동일하다는 개념은 기독교 교리와는
동떨어진 발상이야.

받아들일 수
없소!

너희들이 바로 신임을
모르느냐?

감히 그런 불경스러운 말을
하다니! 인간은 예수님을
통해서만 신을 만날 수
있단 말이야.

아닐세. 우리는
우리 마음속에 갖고 있는
신성(deity)을 깨닫고
발견해야 해!

융의 연구에 의하면 환자들의 꿈에는
3이 아닌 4가 자주 나왔어.
4

융은 네 번째를 악마라고
추론했어.

물론 정통 기독교의 입장에서는
사위일체를 받아들일 수 없지.
사위일체
빵

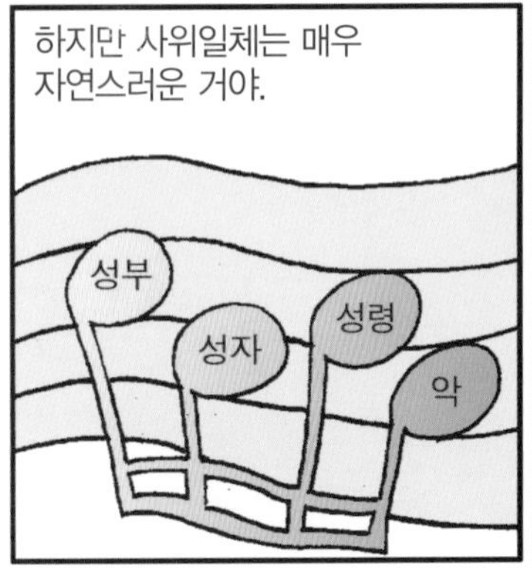
하지만 사위일체는 매우
자연스러운 거야.
성부
성자
성령
악

왜냐하면 이것은 기독교적
세계관에서 나쁜 측면,

즉 악마적인 면까지 수용하고 있기
때문이야.

그러나 교회에서는 이러한 결론을 결코
인정하지 않아.

교회는 애써 분리해 놓은 '악'을 다시 받아들일 수 없는 거지. 그럼
기독교 교리와도 어긋나는 꿈의 상징은 무시해도 되는 걸까?
빽
성자
성부
성령
퇴장~!

그렇지 않아. 과거에는 해몽이나 연금술을 이용해 꿈에 대해 과학적으로 해명했어.

꿈
해몽.연금술
툭!
해명

꿈 심리학과 가장 유사한 학문이 바로 고대의 연금술이지.

꿈 심리학
연금술

연금술사가 언급했던 상징들은 무의식의 세계에서 비롯된 것들이었어.

만약 우리가 신의 존재에 대해 조금도 의심하지 않는 세상에 살고 있다면 꿈이 하는 이야기에 귀 기울일 필요는 없을 거야.

하지만 현대를 사는 우리는 궁극적인 존재에 대한 가치를 의심하고, 누미노제 경험도 중요하게 여기지 않아.

궁극 존재의 가치
누미노제 경험

학교에서 과학 교육을 받은 우리는 굳이 신을 찾지도 않지.

하늘에는 무수한 별들만 존재할 뿐….

현대인들에게 종교적 체험은 하찮아 보일 뿐이야.

쳇~.

그러나 이를 경험한 사람들에게는 그것이 전부일 수 있어.

오~, 주여!

직접 종교 체험을 한 이들에게는 각자의 경험이 최고의 가치를 지니지.

그분을 보았어….

결국 최후의 희망은 각자의 영혼에서 찾을 수밖에 없어.

희망!
희망….

종교는 항상 도덕적이고 정신적인 상징에 대해 이야기해.

예를 들어 십자가는 삼위일체를 상징하지.
성부
성자
성령

이 상징은 철저하게 남성적인 성격을 띠고 있어.
삼위일체

그런데 환자들의 무의식은 삼위일체가 아닌 사위일체를 말해.
사위일체

사위일체는 네 개의 존재가 하나로 합쳐져 신이 되는 거야.
사위일체

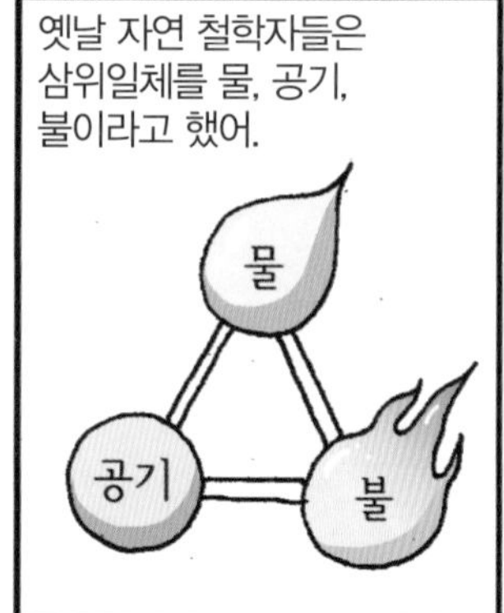
옛날 자연 철학자들은 삼위일체를 물, 공기, 불이라고 했어.
물
공기
불

네 번째 원소로 흙 또는 육체를 들었는데, 이는 처녀를 상징했지.
흙

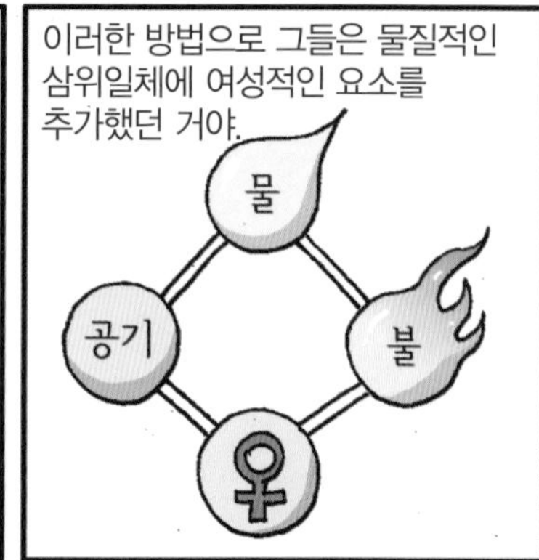
이러한 방법으로 그들은 물질적인 삼위일체에 여성적인 요소를 추가했던 거야.
물
공기
불

중세의 자연 철학자들이 말하는 제4원소도 흙을 이루는 대지나 여성을 의미했어.

그들은 악이 물질의 독성과 같다고 믿었어.

현대인의 꿈에 나오는 4라는 숫자는 무의식의 산물이야.
무의식
4

무의식은 가끔 아니마라는 여성의 모습으로 나타나.

기독교가 주장하는 삼위일체의 도그마에는 악마나 여성이 존재할 여지가 없어.

삼위일체
도그마

하지만 종교적 상징이 사위일체로 이루어져 있다면 악의 요소도 그중 한 부분으로 포용할 수 있어.

융이 처음에 분석한 꿈들에는 원이 등장해.

원

어느 날 융의 환자는 원 모양을 그리는 뱀의 꿈을 꾸었지.

쉬-

또 다른 꿈들에서도 원이 나타났어. 시계, 지구, 둥근 공 등 다양했어.

이와 거의 동시에 환자의 꿈에 사각형이 등장했어. 사각형 정원의 가운데에 둥그런 분수가 있는 모양 말이야.

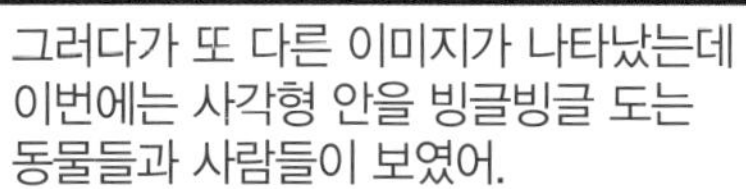

그러다가 또 다른 이미지가 나타났는데 이번에는 사각형 안을 빙글빙글 도는 동물들과 사람들이 보였어.

사각형 방의 구석에는 뱀이 한 마리씩 있고, 사람들은 또다시 네 구석을 돌고 돌아. 또 다른 꿈에서는 택시를 타고 사각형의 방을 돌기도 했지.

택시

그런가 하면 어떤 꿈에서는 원이 회전을 해.

윙-

네 명의 아이들이 검은색 반지를 들고 원을 그리며 걷고 있어.

또 원이 4라는 숫자와 합쳐져 나타나기도 해.

4

예를 들면 둥그런 그릇에 호두 4개가 사각형 모양으로 놓여 있는 모습처럼 말이야.

이러한 꿈에서는 유난히 원의 가운데 부분이 강조돼.

원 안에는 회전하는 별이나 계란 등이 담겨 있지.

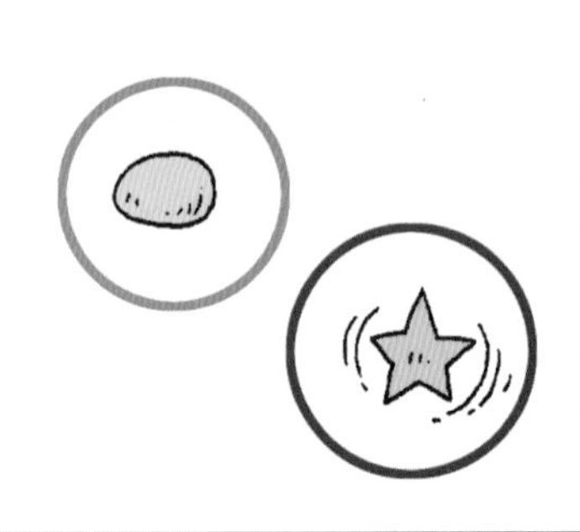

이 모든 꿈들은 항상 하나의 화폭에 담긴 그림이 되면서 끝났어.

강렬한 인상을 주는 그림이었지.

다른 사람들이 이 꿈을 어떻게 생각하는지는 별로 중요하지 않아.

환자가 꿈에 대해 어떻게 느끼는지가 중요하지.

환자는 추상적인 이미지들을 보고 매우 강한 인상을 받아.

환자 스스로 꿈이 어떤 의미를 갖는지 이해하기는 쉽지 않아.

하지만 플라톤의 《티마이오스》에 나오는 두 개의 원이나,

플라톤이 말하는 '세계의 혼(anima mundi)'이 조화로운 구형으로 이루어졌음을 생각해 보면 이 현상을 이해할 수 있어.

세계의 혼

고대 그리스 철학자들은 우주를 이루는 천체들이 음악적인 리듬에 따라 움직인다고 생각하기도 했어.

그렇다면 환자가 꿈에서 본 것은 일종의 우주론 체계라고 할 수 있어.

융은 환자의 잠재의식에 플라톤이 말하는 우주의 모습이 어렴풋이 나타난다고 말해.

그러나 환자가 본 환상이 플라톤의 우주와 완벽하게 일치하지는 않아.

그들이 꿈에서 보았던 원들은 《티마이오스》의 두 원과는 달리 생긴 모양이나 움직이는 모습이 다양하거든.

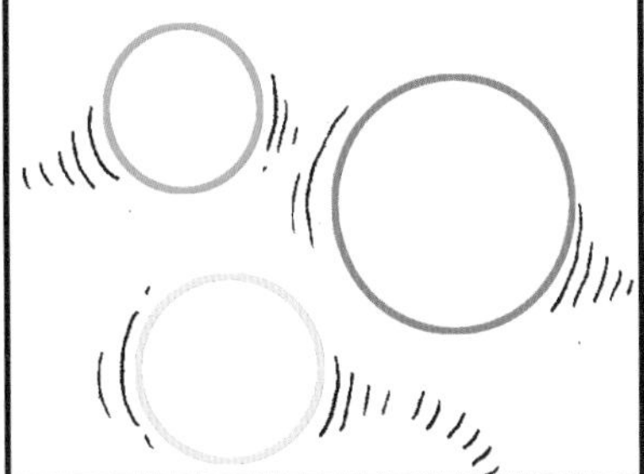

그런데 특이한 점이 있어. 몇몇 환자들의 꿈에서 수직으로 배열된 원은 청색이고 수평으로 배열된 원은 금색이었어.

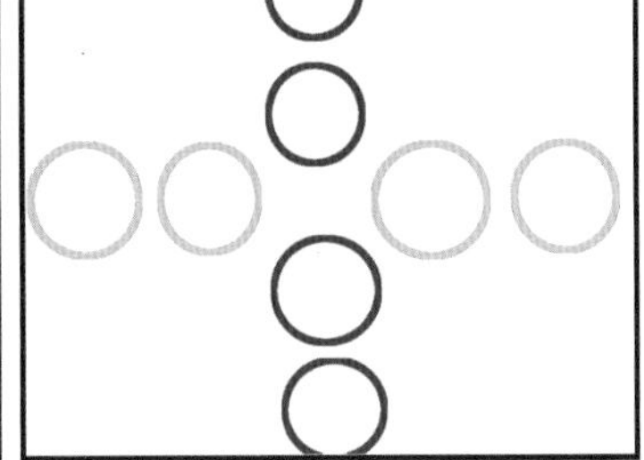

여기서 청색의 원은 하늘을, 금색의 원은 수평선을 상징해.

이것은 중세 시대에 우주를 원으로 표현했다는 사실을 다시금 떠올리게 해.

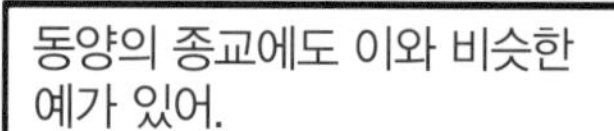

동양의 종교에도 이와 비슷한 예가 있어.

티베트 불교의 만다라가 바로 그 예지.

다양한 만다라들

만다라의 중심에는 파드마(padma)라고 불리는 원형의 연꽃이 있는데,

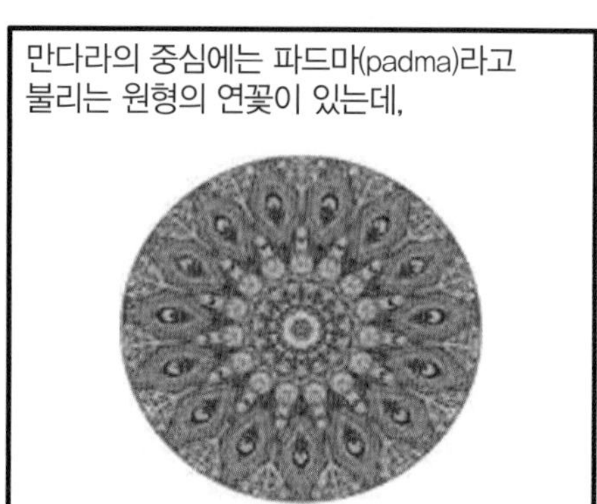

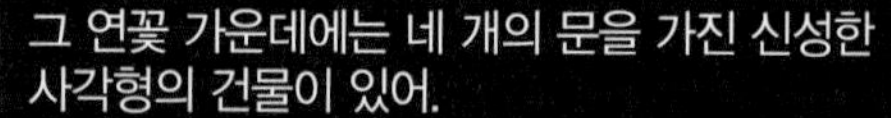

그 연꽃 가운데에는 네 개의 문을 가진 신성한 사각형의 건물이 있어.

이것이 만다라의 기본적인 생김새인데, 만다라는 요가 수행자의 명상을 도와주는 역할을 해.

만다라 한가운데에는 부처나 시바가 있지.

힌두 주신
시바상

만다라는 환자의 꿈에 나온 원과 비슷하기는 하지만 완전히 똑같지는 않아.

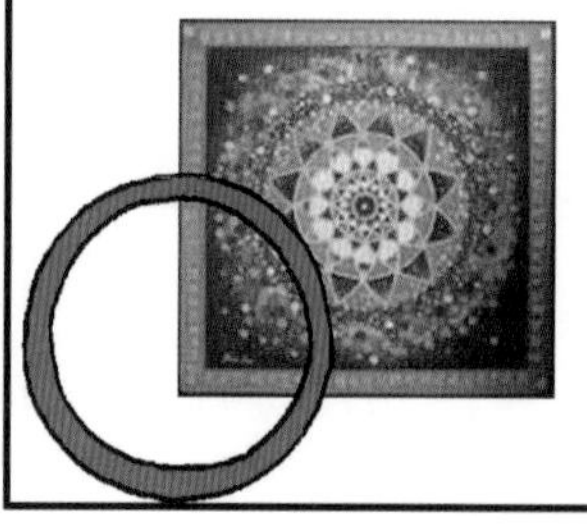

만다라는 중심의 의미가 더욱 강조되거든.

원

π?

이번에는 원에 대한 다른 이야기를 해 볼게. 어느 날 융은 환자의 꿈을 연구하던 중에, 우연히 중세 시대 한 작가의 기록을 보게 되었어.

바로 나야~!

그의 이름은 기욤므이고, 수도원의 원장이었어.

그는 천국에 대한 환상을 기록한 책, 《순례기》를 썼어.

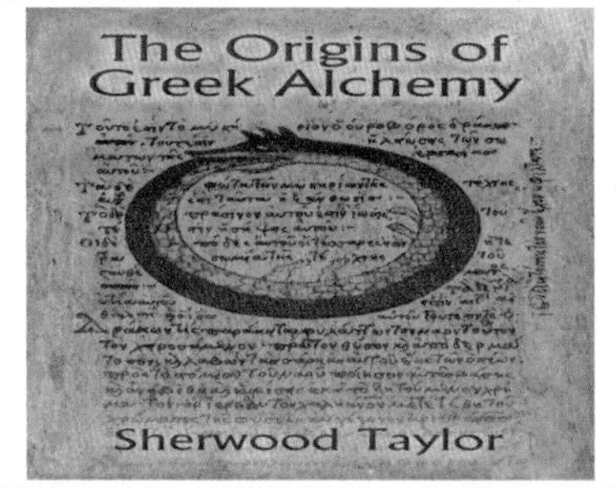
The Origins of Greek Alchemy
Sherwood Taylor

그의 환상에 나오는 천국은 49개의 영역으로 나뉘어 있고 이 영역은 회전한단다.

천국
49
쯔직
돈다~.

이 영역은 각각 '세기(century)'라고 불려. 이는 우리가 오늘날 시기를 구분하기 위해 사용하는 '세기'라는 단어의 어원이기도 해.

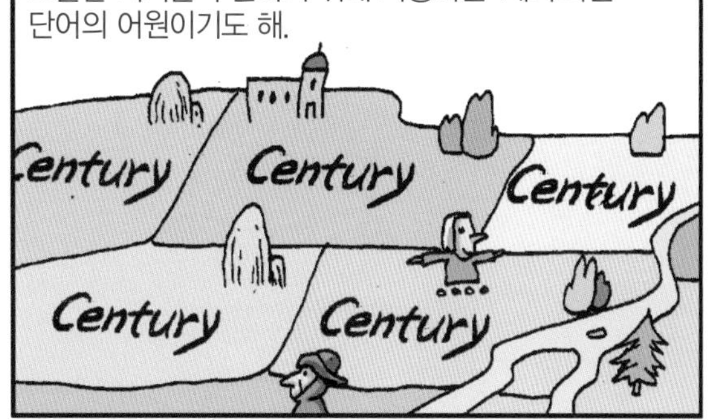
Century
Century
Century
Century
Century

기욤므의 안내를 맡은 천사는 '세기의 세기'라는 표현을 썼는데, 이는 영원을 의미하지.

영원!

금빛 하늘을 올려다보던 기욤므의 눈에 지름 90센티미터쯤 되는 원이 보였어.

그는 그 원에 대해 이렇게 말했어.

금색 하늘 어딘가에서 나타난 그 원은 다시 어딘가로 자취를 감췄다.

그런데 어디선가 나타난 작고 푸른 원이 큰 원 위로 굴러가는 게 보였지.

기욤므의 말에서 우리는 두 개의 체계를
찾을 수 있어.

하나는 푸른색 원, 하나는 금색 원이지.
푸른색 원은 금색 원 쪽으로 움직여.

천사는 이 광경을 보고 놀란
기욤므에게 이렇게 말해.
네가 지금 보고 있는 원은 달력이다.

이 달력은 성자(Saints)의 날들을 알려 주고 성자들에게 제사 올릴 때를 가르쳐 준다.

기욤므와 천사가 이야기하는 동안
자주색 옷을 입은 세 명의 남자가
나타났어.

천사는 기욤므에게 오늘은 이 세 명의
성자들을 위해 축제를 열 것이라고 말해.

그러면서 열두 가지 별자리에 대해 이야기해 주었지.

기욤므는 가만히 서서 천사의 말을
듣다가, 삼위일체의 의미에 대해
알고 싶다고 말했어.

천사는 이렇게 대답해.
세상에는 세 가지의 기본색이 있다. 바로 초록색, 붉은색, 금색이다.

그러면서 설명을 덧붙였어.
공작의 꼬리에서는 이 세 가지 색을 모두 볼 수 있다.

또 천사는 이렇게 말해.
금색은 아버지(하느님)이고 붉은색은 아들(예수님)이고 초록색은 성령이다.

그리곤 더 이상 물어보지 말라며 사라져 버려.
파
닥

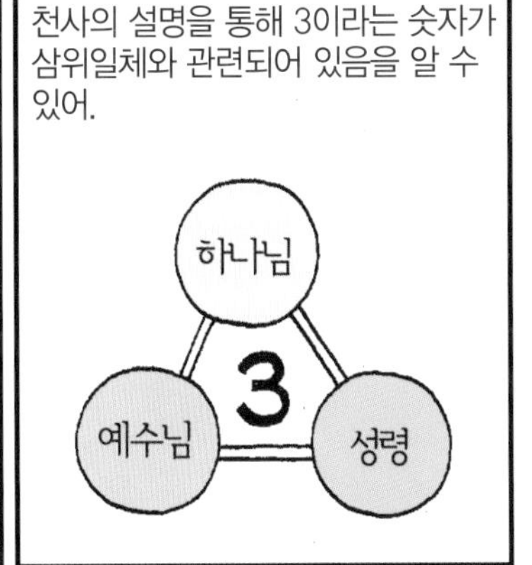
천사의 설명을 통해 3이라는 숫자가 삼위일체와 관련되어 있음을 알 수 있어.
하나님
3
예수님
성령

《순례기》에는 4라는 숫자에 대한 언급이 없어.
순례기
4

《순례기》에 나오지 않는 네 번째의 색은 푸른색일 가능성이 커. 물론 푸른색에 대한 언급은 없지.

융은 기욤므가 천국의 환상을 볼 때 그가 무의식 상태에 있었을 거라고 생각했어.

기욤므는 꿈에서 또 무엇을 보았을까?

기욤므는 먼저 영원한 축복을 얻은 사람들이 사는 세상을 보았고 그다음은 금으로 된 하늘을 보았어.

그곳에는 천국의 왕이 황금 옥좌에 앉아 있고, 그 옆에는 왕비가 갈색 수정으로 된 둥근 옥좌에 앉아 있었어.

그런데 《순례기》에는 마리아의 이름이 언급되지 않아. 단지 묘사를 통해 마리아의 존재를 추측할 수 있을 뿐이지.

이 묘사에서 왕은 교회와 결합된 승리의 그리스도야.

여기서 주목해야 할 점이 있어. 원래 기독교는 삼위일체를 이야기하는데, 《순례기》에는 네 번째의 것, 즉 왕비가 추가된다는 사실이야.

하나님 예수님 성령 왕비

기욤므가 본 마리아가 천국에서 입고 있던 옷은 푸른색이었어.

마리아는 푸른 하늘로 덮여 있는 대지를 상징해.

그런데 왜 《순례기》에는 성모 마리아의 이름이 언급되지 않았을까?
?

기독교 교리에 따르면 그녀는 '축복받은 사람'일 뿐, 신은 아니기 때문이야.

더욱이 그녀는 대지의 상징인데, 대지야말로 육체이면서 육체의 어두운 면까지 포함하고 있거든.

자애심 깊은 그녀가 모든 죄인의 죄를 대신 빌어 줄 자격이 있는 것도 이 때문이야.

기욤므의 이야기에서 만다라의 의미를 알아낼 힌트를 얻을 수 있어.
힌트

만다라는 4와 조화를 이루고 있어. 이는 기독교의 삼위일체와는 사뭇 다르지.
4

융의 환자는 가톨릭 교육을 받은 사람이었지만 중세 시대 기욤므와 같은 문제로 고통받고 있었어.

물론 삼위일체는 신비로운 사상이지만 여성적 요소 · 대지 · 육체를 인정하지 않는다는 점이 문제야.
삼위일체
스톱~!
왜?

환자가 본 환각은 오랜 의문에 대한 상징적인 대답이라고 할 수 있어.

그것은 물질과 정신, 혹은 세속적인 욕망과 신에 대한 사랑 사이에 벌어지는 비극적인 갈등을 해결할 수 있는 가능성을 암시해.

물질
세속적 욕망
정신
신에 대한 사랑

환자가 첫 번째로 꾼 교회에 대한 꿈에서는 가련하고 쓸모없는 타협이 주제였어.

삐약

하지만 이것은 대립을 융화시켜 주는 만다라 환각에 의해 완전히 극복되었어.

융화
대립

만다라는 신성(deity)을 표현할 때는 삼위일체의 상징을, 영혼(soul)을 표현할 때는 사위일체의 상징을 사용해.

사위일체
삼위일체

따라서 환자의 환각은 신과 자신의 영혼이 하나 됨을 의미해.

삼위일체라는 개념에서 아버지는 아들 안에 있고, 아들은 아버지 안에 있으며, 성령은 아버지와 아들 안에 있어.

아버지가 아들이 되거나 어느 순간 아들이 출현하는 것은 시간적인 요소를 표현하는 거야.

반면에 성모 마리아는 공간적인 요소를 인격화한 거야.

교회가 생겨나던 초창기에는 사위일체의 상징인 원 속 십자가 그림이라든지, 네 명의 복음서 저자들과 함께 승리하는 그리스도의 이야기가 언급되었지만 이는 현재 교리에서는 사라져 버렸어.

7장 자기 완성(自己完成)

융을 찾아온 신경증 환자는 만다라에 대한 지식이 전혀 없었던 사람이야.
만다라? 새로 생긴 중국집 이름인가?
끙..

그는 보통 사람 수준의 종교 상식밖에 없었어.
하느님, 오늘도 일용할 양식을 주셔서 감사합니다.

그래서 그는 자신이 꾼 꿈에 왜 기독교 교리가 등장하는지 이해할 수 없었어.
질.. 질...
기독교 교리
낑낑

환자가 꿨던 꿈 중 '자기 발견의 집'에서 들렸던 목소리를 다시 한 번 들어 볼까?
네가 하고 있는 행동은 위험하다.
제가 뭘...

종교는 여인의 상을 벗어나기 위해 네가 지불해야 하는 세금이 아니다.

왜냐하면 여인의 상은 꼭 있어야 하는 것이기 때문이다.

여기서 '여인의 상'은 아니마의 다른 이름이라고 앞에서 이야기 했지?
아니마

흔히 남자들은 자기 안의 아니마에 저항해.

이것은 남성들에게 흔히 보이는 모순이야.
가!
가란 말야!

아니마는 지금까지 의식적인 면에서 배제되었던 무의식이지.
성향
아니마
경험

아니마는 억압되거나 억제되어 있었어.
아니마

여기서 '억압'이란 무의식적으로 불쾌한 일을 잊으려는 정신 작용을 의미해.
하필! 밥 먹고 있는데, 더럽게!

또 '억제'는 의식적으로 뭔가를 잊으려는 노력을 말해.

예를 들어 실연을 당한 남자가 기억 상실증에 걸려 버린 것은 억압의 상태라고 할 수 있어.
아아, 내 머릿속에 지우개가 있나 봐….
모든 걸 기록하자.

반면에 실연을 당한 남자가 자기를 찬 여자를 잊으려고 노력하는 것은 억제에 속하지.
잘 먹고 잘 살아라!
찍 찍
사랑하는~ 영미 씨~

일반적으로 사람들은 반사회적인 경향을 억제하고

짜릿한데?

이를 고의로 제거하려는 심리적 경향을 가지고 있어.

끙~.

융은 반사회적 경향을 가진 이들을 통계적 죄인(statistical criminal)이라고 불렀어.

WANTED
통계적 죄인

그런데 반사회적이지 않더라도 사회의 전통에 어울리지 않는 것들이 억압되어 있는 경우도 많아.

신체발부 수지부모거늘~. 에잉~.

에고~ 숭해라~

이때 억압된 이유를 정확하게 알아내기는 쉽지 않아.

요즘 유행인 청나라식인데!
이해할 수 없군….

전통적인 도덕을 지켜야 한다는 두려움 때문에 억압이 일어났을 수도 있지.

빠아
전통적인 도덕
윽!

억압이라는 행위는 자신의 욕망을 피하기 위해 다른 무언가를 찾을 때 일어나.

BUS
차라리 눈을 가리면 되겠지?
더듬

프로이트는 억압이 신경증을 유발시킨다는 사실을 처음으로 알아냈단다.

모든 신경증의 원인은 억압에 있어.
쿵
아야!

반면에 억제는 갈등이나 고통의 원인이 될지언정 신경증의 원인이 되지는 않아.

2년을 감옥에서 살아야 하다니….
그럼 집에 계신 늙은 어머니는 누가 돌보나….

'통계적 죄인'이 배제된 곳은 열등한 가치를 갖고 있는 영역이야.

이 영역에 속하는 이들은 흔히 사람들이 꿈꾸는 이상적인 세계와는 거리가 아주 먼, 원시적인 삶을 살아.

배부르니 내일까지 자자.

인간 사회는 자기의 죄를 알면서도 나쁜 행동을 한 죄인에 대해서는 엄하지만,

철썩
악~!
다시는 도둑질 안 할게요!

자신이 무슨 잘못을 했는지 인식하지 못하는 죄인에 대해서는 관대한 경향이 있어.

네가 뭘 알고 훔쳤겠니? 용서하마.
그 강아지는 주인에게 돌려주고.
하아, 정말요?

하지만 법률은 무의식적인 죄도 처벌하는 경우가 많아.

무의식

이와 달리 고해성사를 할 때는

신부님

스스로 죄를 지었다고 의식하는 행위에 한해 죄로 인정하는 경우가 대부분이야.

그 밖에 주님 앞에 부끄러운 행위를 한 게 더 있습니까?
고백할 죄는 이것 뿐이에요, 신부님.

평소 경건한 마음가짐으로 살아가는 사람일수록 종종 자기 마음의 다른 모습을 의식하지 못하는 경우가 있어.

이런 사람들은 성미가 몹시 까다로워.

하지만 불행하게도 인간은 생각하는 것보다 훨씬 열등한 존재야.

먹어.
고맙...

모든 사람들은 각각 어두운 그림자를 가지고 있어.

그 그림자가 많을수록 어두운 삶을 살게 되지.

스스로 콤플렉스를 의식하면 이를 교정할 수 있어.

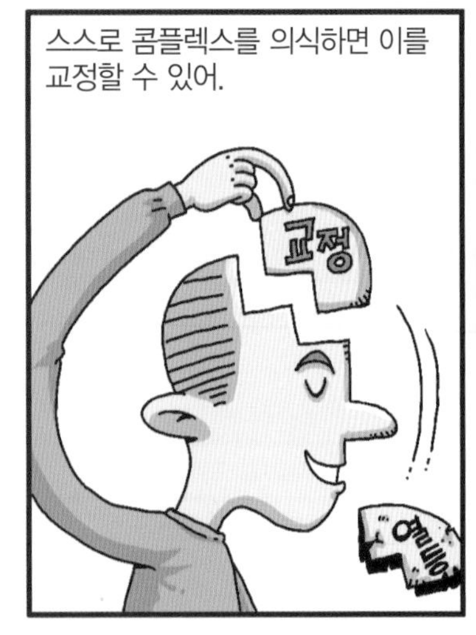
교정
열등

그러나 자신의 열등한 부분이 의식으로부터 억제되는 경우에는 교정이 어려워.

억제
고립

어떨 때는 억눌렸던 것이 갑자기 폭발하기도 해.

퍼
엉

현대인도 원시 시대 사람들이 가졌던 열등한 욕망을 여전히 지니고 있어.

도시를 점령하라!
저기에 먹을 게 더 많다! 빼앗아라!

이러한 욕망이 폭발하지 않도록 노력해야 해.

그렇지 않으면 신경증에 걸리게 되거든.

신경증

신경증 환자는 마음에 어두운 그림자를 많이 갖고 있어.

신경증 환자를 효과적으로 치료하려면 의식적인 인격과 인격 뒤에 숨은 그림자가 공존할 방법을 찾아야 해.

그림자를 억압하기만 하는 건 좋은 해결책이 아니야.

그런 방법으로는 어떤 신경증도 치료할 수 없어.

환자가 가지고 있는 도덕 체계를 파괴하는 행위도 도움이 되지 않아.
도덕파괴

그것은 자기(Self)까지 죽여 버리는 꼴이 되기 때문이야.
I will be back!
터미네이터

사실 그림자는 자기의 한 부분으로, 나름 의미가 있어.

먼 옛날 사람들도 이러한 모순을 극복하기 힘겨워했어.
어려워….
모순극복

예를 들어 2세기의 철학자 카르포크라테스(Karpokrates)는 마태복음 5장 25절의 '너를 송사하는 자와 함께 있을 때에 급히 화해하라'라는 구절을 언급했어.
난 여기에서 '송사하는 자'를 자기 자신의 육체로 보았다.

이 성경 구절은 다음과 같이 해석할 수 있어.
그대는 그대의 그림자와 화해하라.

이런 해석은 현대적인 관점에서도 받아들일 만해.
해석

하지만 교리에 집착하는 종교 지도자들은 이런 미묘하고 섬세한 부분을 무시했어.
그런 데 신경 쓸 시간 없다고.

그림자가 모두 악한 것은 아니야.

그림자는 원시적이고 생소하게
느껴질 뿐이야.

어떤 의미에서 그림자는 인간이란
존재를 더욱 아름답고 활기차게
만들어 주기도 해.
다만 그것이
관습과 도덕에
어긋날 때 문제가
될 뿐이야.

오늘날 사람들은 자신의 뿌리를 잃고
대지와의 관계를 저버리려 하고 있어.

이러한 문제는 법과 같은 인위적인
수단으로는 결코 해결할 수 없어.

우리의 태도가 바뀌어야 하지.

변화는 위로부터 오는 게 아니라,
개개인의 마음에서부터
시작되어야 해.

잘 교육받은
현대인은 자신의
열등한 부분을
억제하려고 하지.

하지만 그럴수록 억제된
열등함이 반란을 일으킬 수
있어.

융을 찾아온 한 신경증
환자는 군인이 나오는
꿈을 꾸었어.

그는 꿈에서 날개를 달고 있었는데, 이를 본
군인들이 약한 왼쪽 날개를 잘라 버리라고 말했지.
잘라 버려~

이 꿈은 환자가 자기 안의
열등함을 어떻게 다루고
있는지를 보여 줘.

하지만 이런 식으로는
열등한 부분을 극복할
수 없어.
아니라잖아~!

앞서 신경증 환자가 꾼 '정신 통일의 집'에 대한 꿈은 그림자를 대하는 방법으로 종교적인 관점을 제시하고 있어.

환각에서 보았던 만다라를 떠올려 봐.

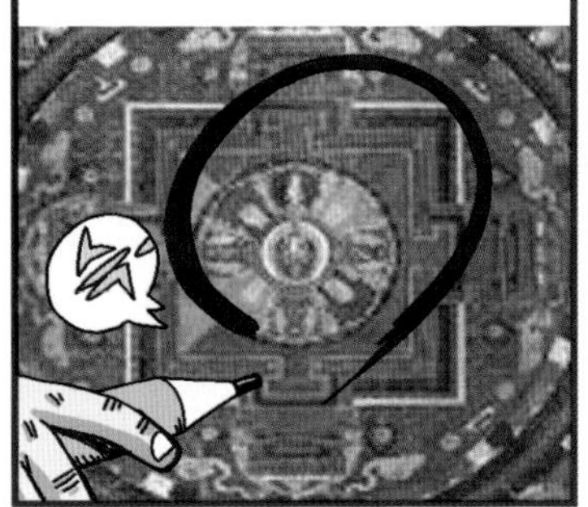

만다라 안에는 많은 상징이 숨어 있어.

하늘에 있는 원과 대지에 있는 사각형은 완전함과의 결합을 의미하지.

신과 인간의
결합을 의미한단다.

사람들은 만다라의 가운데에 신이 있어야 한다는 선입관을 가지고 있어.

그런데 환자 꿈속의 만다라는 가운데가 비어 있었어.

환자가 꿈에서 본 만다라에는 신의 흔적이 전혀 없어.

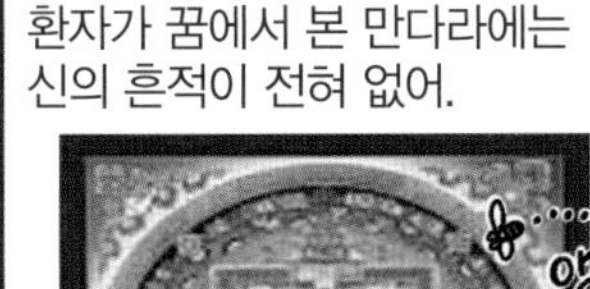

앵
도대체
신이 어디
있다는 거야?

만다라에 대해 알지 못했던 환자들이 본 만다라에는 모두 신이 없었어.

내가
신이다~!
크, 그럼 이 몸은
제우스 님이시다.

대신 거기에는 다른 의미의 상징들이 있었어.

난 이제 퇴장해도
되겠지.

예를 들면 별, 태양, 꽃, 십자가, 보석, 물, 포도주, 뱀, 혹은 인간 등이었지.

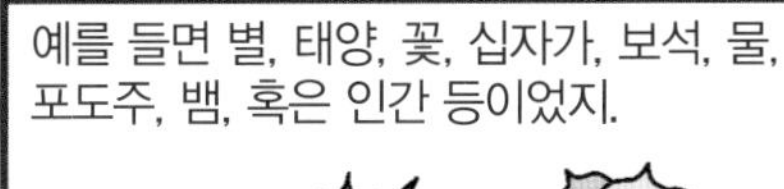

만다라의 중심에는 가장 고귀하고 위대한 가치와 관련이 깊은 것들이 있었어.

가치

이것이 긍정적이냐 부정적이냐 하는 것은 상관없어.

인간 심리에서 가장 강력한
영향을 미치는 존재는
신이야.
퉁-

신은 위엄 있는
존재야.

신이 위엄을 잃어버리는
순간, 신은 단지 이름만 남게
될 거야.
나, 번개!
Made by 제우스

이 경우 신은 본질을 잃어.
그와 동시에 신이 가진
능력도 사라지지.
제우스

고대 그리스 시대의 신들이
왜 힘을 잃게 되었을까?

그것은 올림포스 신들이 시대적
사명을 버리고 인간과 같아졌기
때문이야.
헤라클레스
노래방은
내가 낼게~.

환자들이 꿈에서 본 만다라로부터 우리는
어떤 결론을 얻을 수 있을까?
?
?
?

이를 알기 위해서 먼저 만다라를 본
사람들에게 별, 태양, 꽃,
뱀 등을 숭배하는지를
물어봐야 해.

융이 이에 대해 물었더니
환자들은 대부분 부정적으로
대답했어.
숭배요?
전 그런 적
없는데요?

그러나 그들은 지구, 별,
십자가와 같은 것이라면 숭배할
수도 있다고 이야기했어.
요건 숭배!

어떤 환자는 자신이 매우 고통스러울 때 만다라의 환각을
보게 된다고 이야기했어.
싸다!
흑…
사장님이 망했어요
의류 90% 세일

또 어떤 이들은 이런 환각을 보면 참된 평화를
느낀다고도 고백했지.

환자들의 경험은 다음과 같이 정리할 수 있어.
자기 자신을 회복하고 있는 그대로의 자신을 받아들일 수 있으며 자신과 화해할 수 있다면 주위를 둘러싼 적대적인 환경과도 화해할 수 있다.

스스로 신에게 복종하고 희생하면서 자기 자신과 화해하게 되는 거야.
복종.
희생.
화해.

꿈속의 만다라는 환자의 이러한 정신적 상황을 그대로 보여 주고 있지.

이것은 자신의 의지와는 관계없이 일어나는 일이야.

그러나 현대의 만다라에는 신이 없어.
휘이
잉

대신 인간이 신의 자리를 차지하고 있지.

우리는 인간의 의식만을 바라보기 쉬워.

그러나 최근의 연구 결과에 따르면 개인의 의식은 광대한 무의식에 바탕을 두고 있다고 해.
의식
무의식

이제 우리는 인간이 항상 의식적이라는 선입관을 버려야 해.
뚜
뚜..

정신적 존재가 가지고 있는 궁극적인 성격을 정의하기는 어려워.

인간이란 경계를 정하기 어려운 전체(whole)이며,

상징으로만 표현될 수 있는 총체(totality)적 존재기 때문이야.

HUMAN

융은 인간의 의식적 · 무의식적 요소의 총합을 의미하는 말로 '자기(Self)'라는 용어를 사용했어.

의식
무의식

이러한 용어는 인도 철학의 영향을 받아 만든 것이라고 해.

신들이 인간이 되기를 멈춘 단계인 우파니샤드(고대 인도의 철학책)에서 영감을 얻었지.

이 단계?

우파니샤드 철학은 '나 자신이 곧 우주다'라는 메시지를 전해 주었지.

우주는 늘 한결같아.

계속 돌아.
너도!
네!

하지만 인간의 의식은 그동안 많은 변화를 겪었어.

먼 옛날에는 인간만이 정신을 가진 존재라고 생각하지 않았어.

쾅
쾅

인간이 아닌 물체도 정신 생활을 한다고 여겼지.

오 녀석 많이 잡게 해 주세요!
안 돼!

정신 생활의 주요 부분을 물체에 투사한 거야.

오~, 주여!
네? 바람개비 만드는 중인데요?

물론 투사 정도에는 차이가 있을 거야.

물체에 인간의 정신을 완전히 투사할 수 있을까?
영혼이 없어….

그런 일은 불가능해.
앵
감히 내 밥을 넘봐?

시간이 지나 의식에 바탕을 둔 인식이 강조되면서 물체에 정신을 투사하는 일도 점차 사라졌지.
투
사
인
식
의식

과학은 천문학의 발전과 더불어 발전했어.

천문학의 법칙들은 인간이 우주에 정신을 투사하는 행위가 잘못되었다고 알려 주었지.
욜~.
이딴 거 필요없어!
삐
앗! 끄지 마!

그런가 하면 과학이 발전하면서 더 이상 산, 강, 나무, 동물 등에 투사하지 않게 되었어.

하지만 아직도 우리 주변엔 투사의 흔적이 남아 있어.

신문이나 책에도 종종 투사의 예가 나와.
이렇게나 투사의 흔적이 많이 남았는걸.

오늘날 사람들은 자기 자신의 그림자를 다른 사람에게 투사하고 있어.
징

나 자신은 깨끗하고 좋은 사람인데 타인은 나쁘고 온갖 나쁜 짓을 저지른다고 생각하거든.
에잉~!

융은 정치인들이 서로를 비난하는 모습을 보고 '당신 안에 있는 악마를 보라'며 충고했어.
악마
악마
다를 게 없어….

지금도 많은 현대인들은
자신이 의식적인 인간이라는
착각 속에 살고 있어.

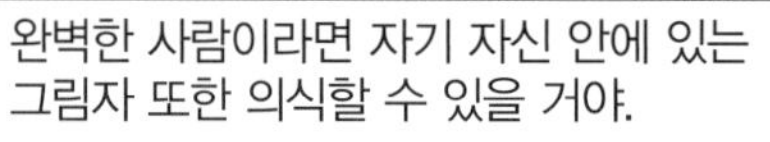
완벽한 사람이라면 자기 자신 안에 있는
그림자 또한 의식할 수 있을 거야.

!
나야, 나!

그러면 그는 '자기 발견의 집'에 살
수 있게 되겠지. 하지만 그런 일은
불가능해.
자기 발견의 집

심리학의 발전 덕분에 우리는 무엇이
인간을 구성하는지 알게 되었어.
현대 심리학

처음에 신들은 초인적인 힘을 가지고
눈 덮인 산이나 동굴, 숲, 바다 등
자연에서 살았어.
쿠르르

그러다 세월이 흐른 뒤
이들이 모여 하나의 신이
되었지.

오늘날 결국 이 신은
인간이 되었어.
퍼엉

인간은 자신의 정신을
스스로 장악하고 있다고
생각해.

심지어 신을 과학으로
연구하려고 해.
추남이신데?
이런!

그러나 신은 어머니이며
창조자야.
사라라

또한 정신의 주체이지.

정신의 영역은 바다만큼 무한정 넓은 반면,
의식은 그 바다에 떠 있는 하나의 섬에
불과해.
의식
정신

그러므로 인간의 의식으로
신을 전부 이해할 수는 없어.

우주를 연구하는 천문학자들은 결코 신은 존재하지 않는다고 결론 내렸어.
신의 옥좌 같은 건 우주 어디에도 보이질 않아….
그러므로 신은 없다!

이것은 *유물론적인 오류야.
유물론
쨍~
오… 오류?

심리 만능주의에 따르면 신이란 어떤 동기, 예를 들어 권력에 의지하고 싶은 마음이나 억제된 성욕으로부터 생겨난 환상에 불과해.
저에게 힘을 주소서.
저분이라면 나를 구원하실 거야.

* 유물론: 물질이 근본적인 것이며 마음이나 정신은 부차적인 것이라고 생각하는 입장.

신은 권력에 의지하고 싶은 인간의 마음이 표현된 것이다.
= 권력

신이 존재한다고? 그것은 자신의 억제된 성욕이 표현된 것에 불과하다.

이것도 역시 심각한 오류야.
오류라잖아! 이 변태야!
으악!
퍽

원주민을 처음 맞닥뜨린 기독교 선교사들도 이와 비슷한 말을 했어.

당시 선교사들은 원주민들이 숭배하던 신을 무너뜨리고
라파
기독교

대신에 하느님이라는 새로운 신을 섬기게 했지.
올라~빠빠

그런가 하면 신이라는 우상을 파괴하려는 사람들도 늘어나고 있어.
무소속
우상파괴자

대표적인 인물로 니체를 들 수 있어.
니체(1844~1900)

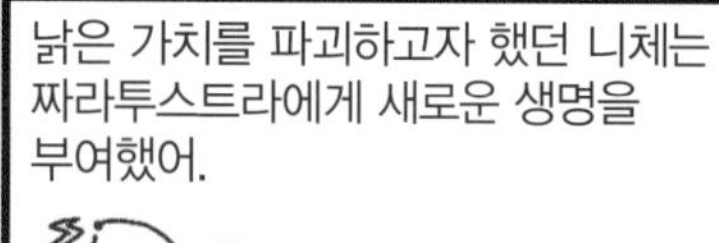
낡은 가치를 파괴하고자 했던 니체는
짜라투스트라에게 새로운 생명을
부여했어.

짜라투스트라

짜라투스트라는 니체의 제2의
인격 혹은 대체 자아(alter ego)
라고 할 수 있지.

니체는 그의 저서인
《짜라투스트라는 이렇게
말했다》라는 책에서 자신을
짜라투스트라와 동일시했어.

그는 무신론자는 아니었지만 '신은 죽었다'고 외쳤어.
神
진짜?
언제!?

그 대신 스스로를 '짜라투스트라'라고 불렀단다.
내 분신들.

니체에게 있어 신은 죽어 버렸기 때문에
니체 자신이 신이 되어 버린 거야.

니체가 무신론자가 아니었기
때문에 가능한 얘기였지.

니체는 무신론과 같은 소극적인
교리에 만족할 수 없었던 거야.
이걸 지금 먹으라고?
다른 걸로 가져와!
무신론

니체처럼 적극적인 본성을 가진 사람이 '신은 죽었다'고 선언하는 건 매우 위험해.

신은 죽었다!
너무 극단적이군.

그들은 곧 인격 팽창(inflation)을 겪을 수밖에 없어.

치이이…
어쩌라는 거야?

인격 팽창이란 자기 자신을 비정상적으로 확대하는 상태를 말해. 이들은 외부의 것까지도 자신의 것이라고 믿지.

인격 팽창
직무
내가 가는 곳이 곧 길~~.

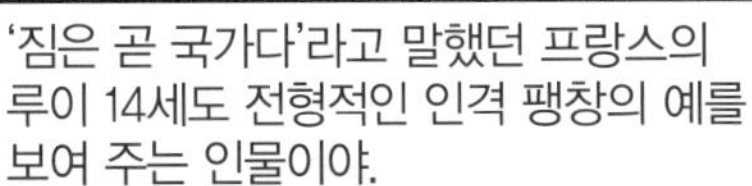

'짐은 곧 국가다'라고 말했던 프랑스의 루이 14세도 전형적인 인격 팽창의 예를 보여 주는 인물이야.

루이14세

신은 대단히 압도적인 존재야.

神

신은 자아와는 전혀 다르며, 인간을 초월하지.

인간은 엄청난 신의 힘과 마주할 때 자신이 나약한 존재라는 사실을 깨닫게 돼.

우린 자연 앞에 나약해….

홍수가 났어!

그런데 신이 사라져서 이런 거대한 힘이 죽었다면 그 에너지는 어디로 간 걸까?

슈퍼맨이 사라졌어….
어디로 간 걸까?

그 에너지는 '국가', 혹은 '~주의(-ism)'라는 이념으로 나타날 거야.

국가
~주의
두둥

무신론(atheism)도 그중 하나야.

무신론자
BIBLE
바나나와 바꿔 먹어야지.

신이 가진 무시무시한 에너지를 부정하는 이들은 니체처럼 정신적인 혼란을 겪을 거야. 결국 그들의 인격은 분열될 수밖에 없어.

오, 신이시여. 우릴 살려 주소서!
신은 죽었다며! 거짓말쟁이!

다행히 많은 사람들이 니체 같지는 않아.

사실 요즘 사람들은 신에 대해 깊이 생각하지 않아.
살아가기도 바쁜데 신을 생각할 틈이 없지~.
BUS

겉으로 보기에는 별 문제가 없는 것 같아 보이지.
아버지 날 낳으시고 어머니 날 기르시니~.

그러나 사람들의 정신은 병들어 가고 있어.
아~.

정신적으로 고통받는 이들도 점차 늘어나고 있어.

만다라와 관련된 체험은 신을 버린 사람들에게 자주 나타나.

이들의 인격은 팽창하거나 분열될 위험에 빠져 있어.
폭발할 것 같아.
누가 좀 도와줘.

융에 따르면 만다라의 원과 사각형은 이런 위험으로부터 지켜 줘.
고마워요~, 박사님!
만다라가 자아 팽창이나 분열을 막아 주지.

원이나 사각형에 둘러싸인 영역은 예전부터 성역이라 불리던 곳이야.
성역
성역은 원래 신의 영역이었어.

그런데 현대인의 만다라는 신이 아닌 별 · 십자가 · 구와 같이 인격의 중요한 부분을 상징하는 것들로 채워져 있어.

즉 인간이 신을 대신하고 있는 거야.
다각!

이제 인간들이 신을 대신해서 만다라의 보호를 받고 있는 셈이지.

인간이 신을 대신해 만다라의 보호를 받는 현상은 매우 자연스러워.
인간! 파이팅!
걱정 마세요!

환자의 꿈속에서는 더 이상 신의 관념이 보이지 않아.
♪
신의 관념

대신 환자의 무의식이 만든 신격화된 인간이 나타나지.
인간
무의식

환각에서 만다라를 보기까지 신경증 환자가 겪는 일련의 과정은 중세 시대 사람들의 생각을 그대로 표현하고 있어.
내가 중세 시대 꿈을?

실제로 신경증 환자는 자신이 전에 한 번도 접해 본 적이 없었던 중세 시대의 연금술에 깊은 관심을 보이기도 해.

이런 현상이 왜 일어나는지는 정확하게 알 수 없어.

어떻게 보면 원시적인 사고로 돌아가는 것처럼 보일 수도 있어.
엉? 원시?

어떤 이들은 이런 현상을 두고 퇴행한다고 말하기도 해.

그렇지만 이런 체험을 한 신경증 환자들은 증상이 한결 나아지고는 해.
활기찬 한 주 시작!
열심히 일해 보자고, 여러분~!

그 결과 전보다 사회에 잘 적응할 수 있게 되었지.
사람이 많이 변했어.
실적
쑥쑥

그러니 이 현상을 퇴행이라고 해서는 안 돼.
♪

'종교란 어떤 우세한 심리 상태가 자발적으로 발현한 것이다'라는 가정이 옳다면
종교

기독교는 고대에 지배적이었던 심리적 상황이 표현 형식을 얻은 것이라고 볼 수 있어.
기독교

당시에는 정통 기독교 이외에도 다른 심리 상황들이 많이 있었어.
올해 밀 농사는 망했구나.
작년 추수감사제를 안 치렀기 때문이야.

영지주의가 그 대표적인 예야.

기독교는 영지주의가 완전히 사라지면서 지배적인 위치에 올라설 수 있었어.

영지주의는 다른 학문들과 섞여 버렸고,
영지주의

영지주의의 본질을 알기 위해서는 특별한 연구가 필요했지.

이단이 된 영지주의는 모습을 감추고 연금술에 숨어서 중세 시대를 견뎠어.
영지주의

연금술은 두 가지의 시선으로 접근할 수 있어.
연금술

하나는 화학적인 접근이고, 다른 하나는 철학적인 접근이야.

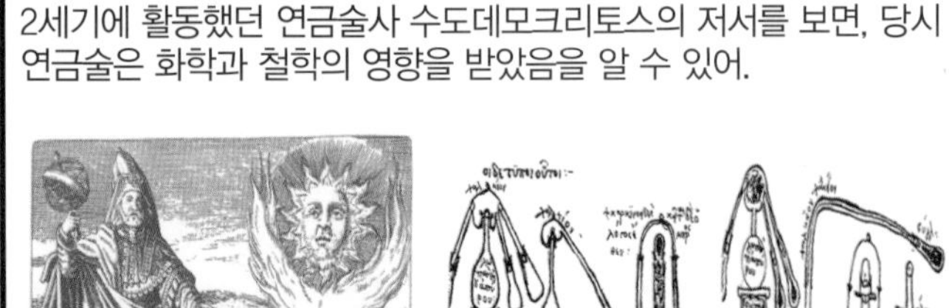
2세기에 활동했던 연금술사 수도데모크리토스의 저서를 보면, 당시 연금술은 화학과 철학의 영향을 받았음을 알 수 있어.

중세 연금술사

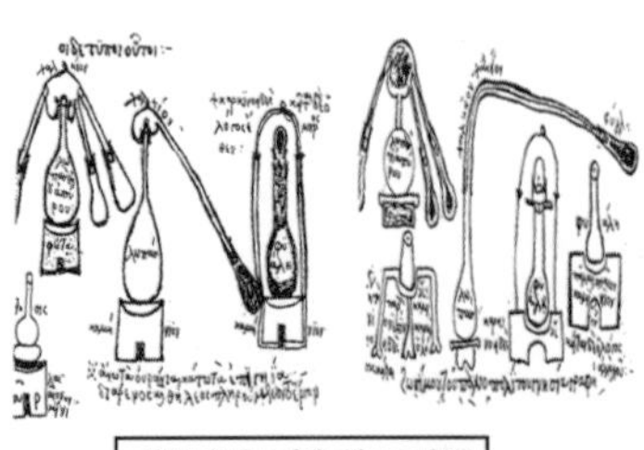
연금술을 기술한 그림들

고대 연금술에서 찾아볼 수 있는 종교나 철학 사상은 분명 영지주의적 성격을 띠고 있었어.
영지주의
종교
철학

연금술사들은 신을 어떻게 생각했을까?

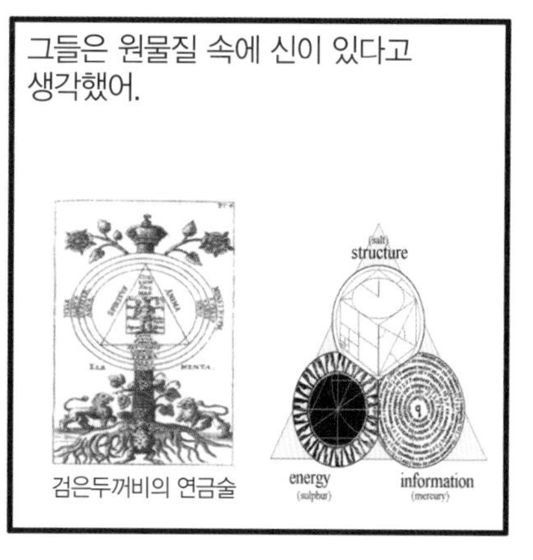
그들은 원물질 속에 신이 있다고 생각했어.
검은두꺼비의 연금술
structure
energy
information

원물질 속에 신이 있다.

원물질이 뭡니까?

원물질(prima materia)이란 모든 물질의 기초를 제공하는 물질로, 현자의 돌을 만드는 재료야.

원물질을 만들 수 있습니까?

원물질은 하나의 형상에 머물지 않고 끊임없이 변하며 자연의 모든 생명체로 나타나지.

지금껏 많은 과학자들이 시도했지만 완벽히 성공하지는 못했어.

다만 액체인 동시에 고체인 이것이야말로 원물질에 가장 근접할 거라 추측하지.

*메르쿠리우스 말입니까?

그래, 수은은 모든 것을 융합하는 물질이야. 모든 병을 치유하는 힘이 있는 명약이지.
수은

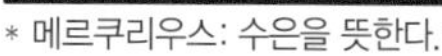
* 메르쿠리우스: 수은을 뜻한다.

연금술사들의 목표는 혼돈에서
신적인 영혼을 추출하는 것이었어.

부글

톡

혼돈

이 추출물은 제5의 본질, 영원한 물,
신비로운 물 등으로 불렸지.

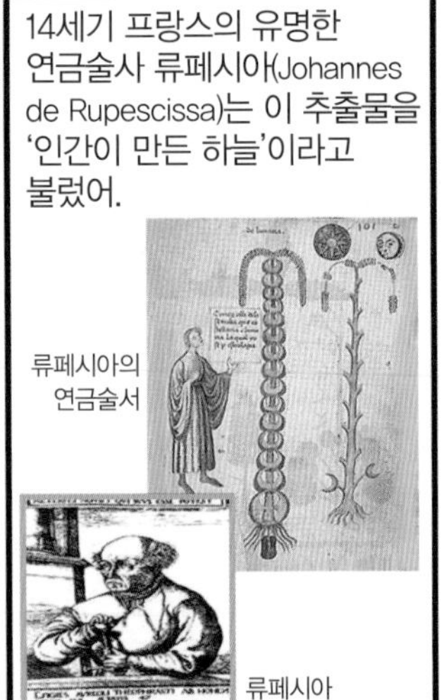
14세기 프랑스의 유명한
연금술사 류페시아(Johannes
de Rupescissa)는 이 추출물을
'인간이 만든 하늘'이라고
불렀어.

류페시아의 연금술서

류페시아

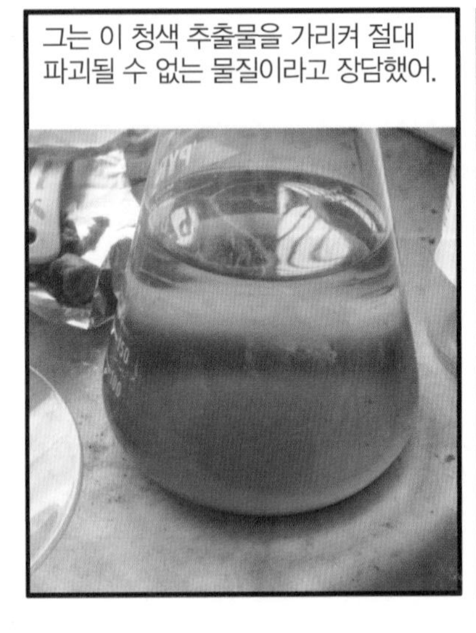
그는 이 청색 추출물을 가리켜 절대
파괴될 수 없는 물질이라고 장담했어.

또한 금이라는 태양이 하늘을
장식한다고 했단다.

동시에 '이 두 가지가 서로
결합해서 우리의 마음으로
흘러든다'고 했어.

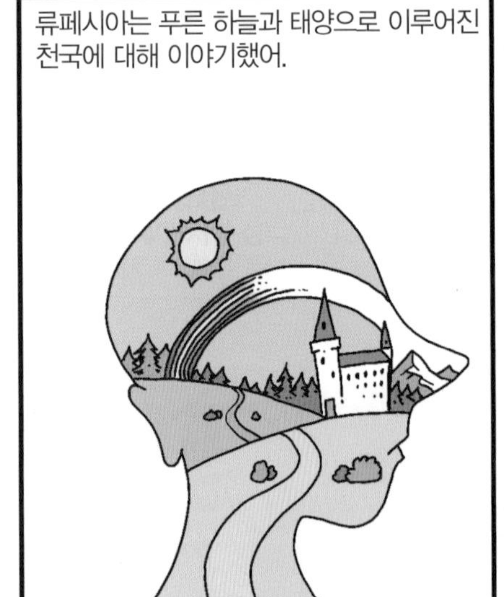
류페시아는 푸른 하늘과 태양으로 이루어진
천국에 대해 이야기했어.

융은 이것이 기욤므가 환각에서
본 하늘과 관련이 있다고
생각했지.
천국
49

류페시아가 말한 신비한 액체는
《창세기》 1장 6절에 나오는
'하늘의 물'과도 관계가 있어.

융은 세례에 사용되는 이 물이 사물을
창조하거나 변형시킬 수 있다고
생각했어.

지금도 가톨릭 교회에서는 세례를
받을 때 성스러운 물을 활용하는데

가톨릭 교인들은 이 의식을
통해 새롭게 태어난다고 믿어.
재탄생

연금술에서 말하는 이른바 '신비로운
물'의 개념도 이와 비슷해.

신비로운 물이라는 개념은
1세기, 그리스 연금술의 초기
저작들에서도 볼 수 있어.
신비의 물

그런가 하면 영지주의자들의 개념이
마니교에 큰 영향을 끼치기도 했는데
이란의 마니가 창시한 복합적인 종교야.

다시 마니교는 중세의 연금술에
영향을 끼쳤지.
헉헉!

연금술사들의 목표는 금이 아닌
불완전한 물질을 금이라는 완전한
물질로 변환시키는 것이었어.

부활을 통해 절대 죽지 않는
존재로 변환시키는 것이지.

중국의 연금술도 비슷해.

진시황은 불로장생을 위해 수은이 든 약을
먹었어.

진시황은 그가 죽고 난 뒤, 무덤
근처에 수은이 흐르는 강과 바다를
만들도록 했지.

예들이 너무 많아서 복잡하지? 융은 그동안 관찰한 심리 현상을 역사적으로 정리하기 위해 매우 많은 예를 들었어.

융은 심리 현상들이 서로 역사적인 연관이 있다고 믿었거든.
역사적 연관성

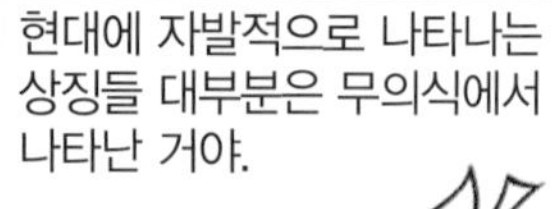
현대에 자발적으로 나타나는 상징들 대부분은 무의식에서 나타난 거야.

PEACE

2000여 년의 역사 시대 동안 수많은 사람들이 무의식 속에서 이러한 상징들을 보아 왔어.

무의식

이런 걸 보면 특정한 무의식적 상황은 생물학적으로 유전될 것이라고 가정할 수 있어.

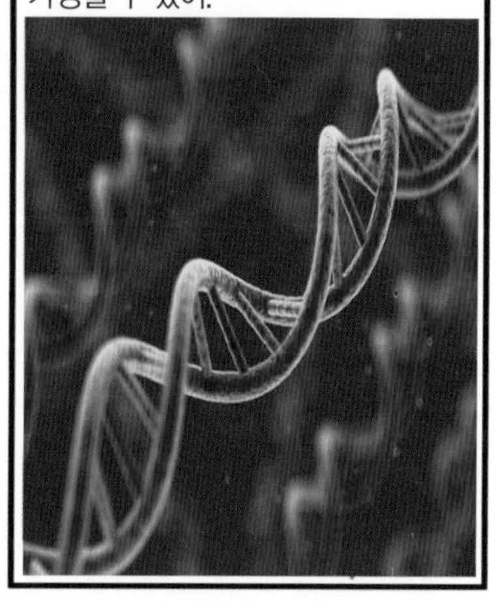

융은 동일한 개념을 반복해서 생산해 내는 가능성 자체가 유전된다고 생각했어.
또 물어왓!
왈왈

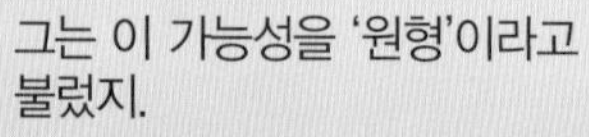
그는 이 가능성을 '원형'이라고 불렀지.

원형

융이 말하는 원형은 대뇌의 활동과 관계가 깊어.

한때 신적인 존재를 상징하던 만다라는 그 의미를 잃어 가고 있었어.
만다라

그러다가 다시 생명의 기운을 받은 거야.

만다라는 인간이 신적인 존재로 변환되는 공간을 상징하는 것일 수도 있어.
만다라

우리는 융의 설명에 귀 기울일 필요가 있어.

비록 심리학이 완벽한 해답을 주지는 못하더라도 인간 정신에 대한 실마리를 주거든.

융의 환자는 만다라의 환각을 본 뒤에 훨씬 상태가 좋아졌지.
좋은 아침~!

심리학자들은 비록 애매모호한 경험일지라도 그 안에서 가능성 있는 결론을 도출해 내야 해.
만다라

융이 생각하기에 환자의 경험은 애매하거나 추상적인 것이 아니었어.

그러니 사람들은 먼저 자신의 경험들을 진지하게 받아들여야 해.
경험

사람들은 악마 또는 깊은 바다 둘 중 하나를 선택해야 해.

악마는 만다라 혹은 이와 유사한 것들을 상징하고

깊은 바다는 신경증을 상징하지.

악마를 선택하는 것이 좋을까? 아니면 신경증을 앓는 게 나을까?

합리주의자들은 융을 비판했어.
합리주의자
악마를 이용해서
악마를 쫓아내시겠다고?
헉!

또한 거짓 종교를 통해 신경증을 치료하려
하다며 비난했지.
거짓종교

하지만 융은 이러한 비난에도
흔들리지 않았어.

종교 체험은 절대적인 거야.

종교 체험을 한 사람만이 그것이 삶의
의미가 됨을 알지.

종교 체험은 세계와 인류에게
새로운 빛을 주는 위대한
자산이기도 해.
종교
체험

종교 체험을 한 이들의
마음에는 신앙과 평화가 있어.
신앙과 평화

이들이 경험한 일을 두고 단지 환상에
불과하다고 말할 권리는 그 누구에게도
없어.
우리
먹이가
아님~

경험이 환상인지 그렇지 않은지
판단할 수 있는 객관적인 기준이
없기 때문이야.

우리를 잘 살게 도와주는
것보다 더 좋은 진리는 세상에
없어.

융이 연구한 상징이 사람들에게 도움을 준다면, 우리는 이를 주의 깊게 검토해야 해.
상징

융은 무의식의 상징들이 오히려 비판적인 현대인의 정신을 납득시킬 유일한 방법이라고 생각했어.
비판
상징
스렁

상징의 압도적인 힘만으로도 환자를 납득시킬 수 있기 때문이야.
상징

신경증을 치료하기 위해서는 설득력 있는 근거가 필요해.
신경증

현실적으로 나타나는 신경증을 치료하려면 환자에게는 현실적인 체험이 필요하지.
개에 대한 공포심을 극복하려면 만지세요~.
하… 네….

어떤 의미에서 치료 체험은 현실적인 환상(illusion)이 되기도 하지.
아직도 인어를 믿으세요?
아뇨

현실적인 환상과 종교 체험 모두 치료 효과를 가질 수 있어.
환상
종교 체험

둘은 언어적인 차이가 있을 뿐, 본질은 같으니까.

인간은 그 누구도 궁극적인 진리를 알지 못해.

그러므로 사람들은 자신이 체험하는 범위 안에서 진리를 믿어야 해.
진리

이런 체험이 나와 주변 사람을 지키는 데 도움이 된다면 이는 신의 은총이나 다름없을 거야.

8장

분석 심리학과 종교

융은 프로이트와 6년 동안 함께했지만 프로이트의 이론을 인정할 수 없었어.

멀미 나.
도그마

그는 프로이트의 이론에 갇히기 싫었지.

1913년에 융은 프로이트에게서 벗어나 '분석 심리학'이라는 자신만의 학문의 길을 걷기 시작했어.

분석심리학
Bye!

'분석 심리학'은 프로이트가 정립한 이론인 '정신 분석'이라는 말을 뒤집은 표현이야.

정말 이러기야?
정신분석
분석 심리
나만의 학문!

두 용어는 사뭇 달라 보이지만 결국 같은 의미라고 할 수 있어.

도긴개긴

두 이론 모두 무의식을 연구하는 심리학이기 때문이야.

분석 심리학
정신분석학
심리학

하지만 융과 프로이트의
심리학은 접근 방법이 달라.
융
프로이트

특히 종교에 대한
생각에서 큰 차이가
있지.

프로이트는 종교를 신경증, 특히 강박 신경증과
유사한 현상으로 봤어.

반면에 융은 종교가 신경증을
극복하게 하는 무의식적
힘이라고 생각했어.
종교
신경증

이번 장에서는 융의 분석 심리학이
종교를 어떻게 생각하는지에 대해
좀 더 자세히 살펴볼 거야.
집중하자!

종교 현상은 인류 역사와 더불어
시작되었고, 종교 체험이 인간의 가장
근원적인 체험이라는 사실은
다 알고 있지?

한 사람의 인생을 바꿀 수도 있는 종교 체험은
심리학에서도 중요한 연구 대상이야.
종교체험
심리학

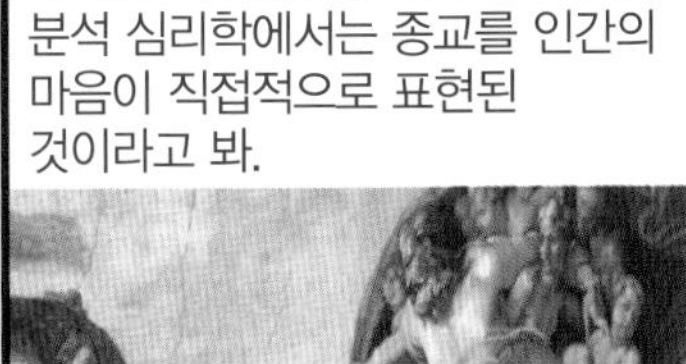
분석 심리학에서는 종교를 인간의
마음이 직접적으로 표현된
것이라고 봐.

종교 현상이 일어나는
원천이 이미 인간
마음속에 있다는 거야.

융은 이 원천을 종교적
본능이라고 했어. 원시 시대에
다산을 기원하는 조각상이
만들어진 것도 이런 이유야.

그런데 종교 현상을 심리학적으로
분석하려는 시도는 여러 논란을
일으키기도 해.
심리학
종교현상
위잉

종교의 고귀한 가치를 단순한
심리 현상에 불과한 것으로
깎아내린다는 비난도 감수해야
하지.
…

사실 다양한 종교를 하나의 심리 이론으로 평가하기란 불가능해.

종교

역부족…

심리 이론

융은 이러한 논란에 대해 자신은 어디까지나 경험에 비추어 종교 현실을 이해하려는 것이라고 해명했어.

종교현상
저의 경험에 비추어….

종교 현상이 옳고 그른지를 판단하는 게 아니라, 종교 현상을 통해 심리적인 사실을 확인하겠다는 것이지.

종교
현상
심리적 사실.

분석 심리학은 특정 종교만을 연구하지는 않아.

종교체험
특정종교

기독교나 불교 같은 일부 종교만을 연구한다면 인간의 보편적인 종교 체험을 이해하기 어려워져.

종교
휴, 이건 아니야.

이러한 종교를 가지고 있지 않은 사람도 종교적 체험을 할 수 있기 때문이지.

*#%@&

융 스스로도 그러한 일을 경험한 적이 있어.

융은 기독교인도, 불교 신자도 아니었지만 종교 체험이라고 부를 만한 일을 겪은 적이 있었지.

Z! Z!

물론 기독교나 불교와 같은 종교도 융이 말하는 종교에 포함돼.

종교

사실 융이 말하는 종교란 대부분
기독교에 해당되는 이야기야.

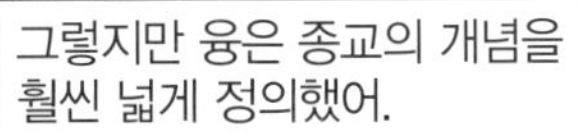
그렇지만 융은 종교의 개념을
훨씬 넓게 정의했어.

팟 팟 팟 팟
종교

융은 자신이 쓴 《심리학과
종교》에서 '종교란 인간 정신의
독특한 태도이면서 동적인
요인이다'라고 했어.
종교

여기서 동적인 요인이란 강력하면서 위험하고, 위대하면서
아름답고, 또한 의미 있는 요소들을 말해.
동양에서 용은
권력을 상징해.

융은 동적인 요인의 예로 '힘, 정신, 악마, 신,
법률, 관념, 이상' 등을 들었어.
종교
동적 요인
힘
정신
악마
신
법률
관념
이상

또한 인간이 경험하는 신비한 체험, 즉 이성적으로 설명할 수는
없지만 인생의 변화를 이끌어 내는 중요한 체험들을 종교적
체험이라고 했어.

융은 종교를 정의 내릴 때 '누미노제'라는
개념을 들어 설명했어.
누미노제
종교
탕!

누미노제는 '인간의 의지가 미치지 않는 곳에서
발생하는 신비한 작용'을 말해.
누미노제

누미노제는 인간이 만들어 낸 것이
아니야.
누미노제

인간은 오히려
누미노제의 영향을 받는
존재에 불과해.

전 일을 할 때는
무아지경에 빠져
아무 생각도
나지 않아요.
치익

이런 모습 또한 종교적
체험입니다. 자신도 모르게
무언가에 열중한다면 바로
그것이 종교 체험이지요.

그 사람이 특정 종교를
믿든 안 믿든 그것은
중요하지 않습니다.

무신론자인 사람이 어떤 일에 정신없이 빠져들 때
그는 이미 종교적이라고 할 수 있습니다.
쾅!
공격!
이건 좀
아닌데….

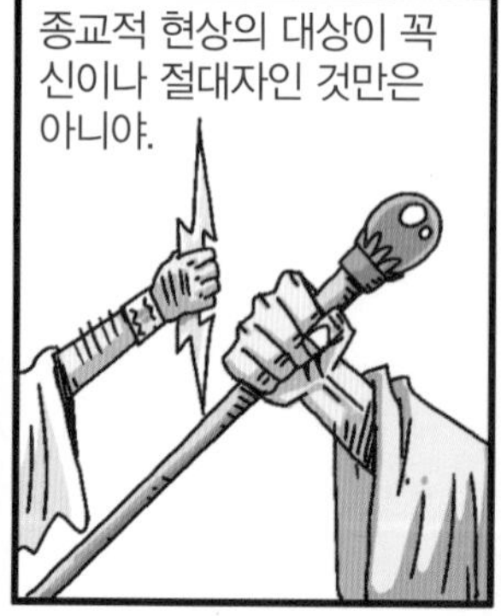
종교적 현상의 대상이 꼭
신이나 절대자인 것만은
아니야.

그것은 이념일 수도
있고,
이념

법일 수도 있으며 심지어
물질일 수도 있지.
法

기독교, 불교와 같은 특정 종교는 인간의 종교적 체험이 교리나 도그마의 형태로
변화된 것일 뿐이야.

예배나 미사 같은 종교 의식은
수백 년 동안 사람들에게 종교 체험의
한 형태가 되어 왔어.

많은 종교인들은 융의 이러한
주장에 동의하지 않았어.

융은 종교 체험이란 인간의 무의식에서
나오는 신의 소리를 듣는 것과 같다고
여겼어.

종교 체험은 가장 오래되고
보편적인 인간 정신의 표현이야.
분노를 거두소서~

융은 고대 사람들보다 현대인들이
신경증을 더 많이 앓는다고
보았어.

고대인들은 내면의 소리에 귀를
기울이지만 현대인들은 의식만을
따르려 하기 때문이라고 생각했지.

현대인이 앓는 신경증은
내면의 종교적인 소리를
무시하기 때문에 생깁니다.

융의 수제자인 폰 프란츠(Marie ouise von Franz)와 한국의 융 연구가인
이부영의 대화를 살펴보면 더 이해하기 쉬울 거야.
폰 프란츠
칼 융
이부영

융은 위대한
샤먼이었죠.
폰 프란츠

샤먼이란 중앙아시아
유목민들의 종교 지도자인
무당을 말하는 거죠?
이부영

맞습니다. 융이 프로이트와 헤어진 뒤
겪었던 체험들은 귀신의 세계에 대한
체험과 유사합니다.

융은 저승을 여행했던 거죠.
융은 비둘기가 죽음이라는 어두운 소식을
전하는 소녀의 모습으로 나타나 자신에게
오는 꿈을 꾸었다고 했습니다.

융의 체험을 듣자니 한국의
무당이 생각나는군요.

융은 평생 동안 이런
일을 경험했지요.

샤먼은 원시 종족들 사이에서 의사이면서 동시에 영혼의 인도자 역할을 해.

사람들은 그가 하늘과 지하 세계를 넘나들면서 정령과 대화할 수 있다고 믿었지.

또한 샤먼이 병자를 치료해 줄 수 있다고 생각했어. 샤먼이 병자의 잃어버린 넋을 찾아올 것이라고 믿었거든.

또 방황하는 죽은 사람의 넋을 저승으로 인도해 주기도 한다고 믿었지.

융이 자신의 꿈을 비롯한 무의식의 작용에 직접 참여해 무의식 세계를 알아내고자 한 노력은
ZZZ

샤먼 후보자가 샤먼이 되기 위해 고통을 견디며 귀신과 대화를 하는 모습을 떠올리게 해.
둥-
딸랑

실제로 융은 샤머니즘에 깊은 관심을 가지고 연구했어.
비나이다~,
비나이다~.

그렇다고 해서 융이 샤머니즘이나 동양 사상을 본격적으로 연구한 것은 아니야.
심리학
내 연구가 먼저였지.

무의식을 관찰하고 연구하다가 동양 사상에 관심을 갖게 되었을 뿐이지.
이럴 수가, 너무 흡사해!
?

융은 1928년에 리처드 빌헬름으로부터 《태을금화종지》라는 책을 건네받게 되면서부터 본격적으로 동양 사상에 관심을 갖게 되었다고 했지?

앗!
太乙金華宗旨

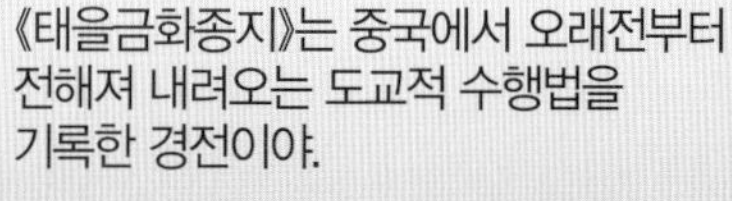
《태을금화종지》는 중국에서 오래전부터 전해져 내려오는 도교적 수행법을 기록한 경전이야.

융은 빌헬름의 번역에 자기의 해설을 추가한 책을 1929년에 펴내기도 했지.
이 책이야!
황금꽃의 비밀

융은 이 책에서 황금의 성에 관한 만다라를 보고 깜짝 놀랐어.

융은 서양인의 무의식에 나타난 만다라와 《태을금화종지》에 나오는 해탈의 경지가 같다고 주장했어.

신선이 되는 거야~.

1930년대 후반, 융은 동양 사상에 관한 글을 여러 편 발표했어.

《티베트 사자의 서》에서는 사후 세계를 연구했어.

죽음은 끝이 아닙니다. 다음 세계로의 시작일 뿐~.

또한 《요가와 서양인》이라는 책에서는 요가를 받아들이는 서양인의 피상적인 태도를 경고하기도 했지.

액션 배우로 거듭나려면 ….
흐헙~! 유연성~!
요가는 그렇게 단순하지 않다고!

융은 서양인들이 신을 의지함으로써 스스로의 능력을 약화시켰다고 생각했어.

최근에는 신을 믿지 않는 대신 이념을 믿음으로써 개성을 잃어 가고 있다고 보았지.

이념

융은 이에 비해 스스로의 해탈을 믿는 동양적 전통을 높이 평가했어.

융은 오랜 시간 동안 동양 종교를 연구하면서, 동양과 서양의 종교 모두 인간의 자기 실현을 강조한다는 사실을 깨달았어.

동서양의 종교가 모두 같은 목적을 지향하고 있었던 것이지.

하지만 동양과 서양의 문화와 역사가 다른 만큼, 목표에 도달하는 방법에도 큰 차이가 있어.

콩~
콩~
ㅋㅋ

그러니 융은 서양인이 섣불리 동양 종교에 매혹되어 이를 경솔하게 흉내 내지 말아야 한다고 했어.

경고~!
빡
왜요?
이제 막
익숙해
지는데.

분석 심리학은 서양적 전통에서 생겨난 학문이지만, 도교나 불교와 같은 동양 사상과도 매우 비슷해.

분석심리학

분석 심리학에서 말하는 '자기 실현'은 집착을 버리고 자신의 내면에 시선을 돌리는 것에서부터 시작되는데, 이런 과정이 동양 사상과 닮았지.

분석 심리학은 비합리적인 세계의 존재를 알고 이를 받아들이는 학문이야.

분석심리학

동양의 여러 가지 명상법은 분석 심리학에서 말하는 자기 실현의 과정과 많이 닮았어.

빡~
자기 실현의 과정

요가의 명상과 불교의 선(禪)이 그렇지.

수행 중!

융은 '불교에서 깨달음의 과정이란 자아의 형태로 제한된 의식이 비자아적인 자기로 돌입하는 것'이라고 말했어.

무슨 이야기인지 모르겠다고? 중국의 선불교를 대표하는 승려 승찬(僧璨)과 그의 제자 도신(道信)이 593년 무렵 나눴던 대화를 통해 더 살펴 보자.
너는 불교를 배워서 무엇을 하려느냐?

해탈을 하려고 합니다.

누가 너를 묶고 있느냐?
아닙니다. 아무도 저를 묶는 사람은 없습니다.

아무도 너를 묶지 않았는데 무엇에서 벗어나겠다는 것이냐?

도신은 승찬 스님의 말씀을 듣고 크게 깨달아 도를 얻었다고 해.
깨달음

이렇듯 모순된 질문이나 표현 또는 행동,
냐옹~
웃으면서 발톱을?

그리고 이해하기 어려운 말이 수련자로 하여금 무의식에 숨은 답을 꺼내도록 만들어.
화두
무의식

언뜻 논리적으로는 이치에 맞지 않아 보이기도 해.
넌센스
넌센스

하지만 융은 합리성에서 벗어나야 새로운 세계로 갈 수 있다고 말해.
분석심리학

선은 동양의 불교 문화를 바탕으로 하므로, 서양인이 그대로 따라하기엔 어려움이 많아.
아, 발 저려! 의자에 앉으면 안 될까요?
좀 참으시지.

서양의 전통 문화는 동양과 매우 다릅니다. 우리는 어떻게 새로운 세상으로 향하는 열쇠를 얻을 수 있을까요?
하나! 둘!

이것은 쉽지 않은 일입니다.

융은 서양의 전통 문화는 동양 종교가 가진 역설을
이해하기 어렵다고 했어.
캄캄한 밤에
웬 선글라스?

그러므로 서양 문화에서는 정신 치료만이 그러한 체험을
할 수 있는 방법이라고 주장했지.

의사와 환자 사이에 이루어지는
정신 치료도 동양의 선문답처럼
변화를 이끌 수 있습니다.

선과 정신 치료의 공통된 목표는
바로 변화입니다.
자아에 대한 집착을 해소하고
무의식에서 예상치 못한
것들을 얻게 되지요.

불교의 선과
정신 치료는 차이가
좀 있어.

선은 무의식을 직관적으로
파악하려고 해.

반면에 정신 치료는 무의식의 세계를 파악하는
매개체로 꿈을 활용하지.
치료
꿈

아무리 참선에 몰두하려 해도
강박적인 생각을 떨치지 못하는
신경증 환자가 있어.
집중이
되질 않아.
큰일이네,
정말….

그는 자기의 본성을 알고 싶다며
오랜 시간 명상 중이야.
나는 누구인가?

그러나 그의 머릿속에는 사랑해서는
안 되는 여자의 얼굴만 떠올라….

융은 이 환자에게 다음과 같이
조언했어.

당신은 무의식에 숨은 콤플렉스를
들여다보면서도 이를 해소하지 못하고
있습니다. 당신이 직접 해탈의
경지에 이를 수는 없습니다.

자기 원형과 직접 접촉하려는 무모한
노력은 결국 무의식에 숨은 콤플렉스를
억압하는 결과를 낳습니다.

그러면 부작용이 일어나
걷잡을 수 없는 환상에
빠져들 것입니다.

콤플렉스를 억누르면 해탈한 것 같은 느낌을 가질 순 있지만,
그것은 오히려 자기 기만에 가깝습니다.
좀 심한데?
왈
왈
나만 믿으면
천국행이니라!

모든 무의식의 그림자들,
그 고통을 피하지 말고 대면하는
작업이 매우 중요합니다.

1938년에 융은 영국령 인도 정부의 초청으로
인도에 갔어. 당시 융은 연금술과
동양 사상을 연구하고 있었어.

인도

그는 인도 사람들은 악(惡)에 대해
어떻게 생각하는지 궁금했어.

융은 서양인은 선(善)을
지향하다가 악에 빠지지만
인도인은 스스로를 선악의
밖에 있다고 생각한다는
사실을 알게 되었어.
잘들 지내지?

인도인들의 경우, 명상이나 요가를 통해
선악의 밖에 있으려 하지.
나 지금 바쁘니까
이 선 넘어오지 마!
찌-
힝!

인도인은 도덕적으로
완전함을 추구하는 게 아니라
*열반을 원합니다.
열반

그들은 스스로를
자연으로부터
해방시키려 합니다.
퍼-엉

* 열반: 집착으로부터 벗어나 깨우침의 지혜를 완성하고 정신의 평안함에 놓인 상태를 말한다.

이와 달리 나는 자연과 정신의 이미지를 생생히 관찰하려고 합니다.

나는 인간으로부터 해방되고 싶지 않습니다. 또한 나로부터, 자연으로부터 도망치고 싶지도 않습니다.

나에게 자연과 영혼, 그리고 인생은 너무나 중요합니다.

내가 존재하는 의미는 오직 그것이 존재한다는 것에 있습니다.

그것이 본래 아무것도 아니라거나 이제는 더 이상 아무것도 아니라고 생각하지 않습니다.

나에게 해방이란 없습니다. 자연과 정신으로부터 도망치는 것은 진정한 해방이 아닙니다.

진정한 해방은 내가 온전히 나 자신을 헌신했을 때 비로소 가능합니다.

인도 여행은 융에게 커다란 감동을 주었어.

특히 인도 중부의 불교 유적, 산치(Sanchi)의 탑을 방문했을 때 많은 감명을 받았지.

중국
델리
보팔
산치
캘커타
인도
벵골만

산치의 탑은 높이 90미터의 언덕 위에 있었는데, 융은 이곳에서 부처님과 예수님을 비교하며 이렇게 말했어.

산치의 언덕을 보고 큰 감동을 받았습니다. 거기에서 나는 불교의 새로운 실재를 보는 듯했습니다.

나는 부처가 인생 전체를 통틀어 자기를 실현한 사람이라고 생각합니다.

그리스도 역시 부처와 마찬가지로 자기 구현자입니다. 하지만 전혀 다른 뜻에서 그러합니다.

부처와 예수는 세상을 극복한 사람들입니다. 부처는 이성적 통찰로써,

그리스도는 숙명적인 희생으로써 그 일을 이루었습니다.

기독교에서는 더 많은 고통을 겪는 데 가치를 둡니다. 반면에 불교에서는 더 많이 깨닫고 행하는 일에 가치를 두지요.

부처와 예수 둘 다 모두 옳습니다. 하지만 인도 사람들에게는 부처가 보다 완전한 인간입니다.

예수는 역사적인 인간이면서 동시에 하느님이므로 그 실체를 파악하기가 훨씬 어렵습니다. 사실 예수 자신도 스스로를 알 수 없었을지도 모릅니다.
?

그는 자신이 희생해야 한다는 사실을 알았을 뿐입니다. 그에게 희생은 하나의 숙명으로 다가왔기 때문입니다.

하지만 부처는 스스로의 통찰에 따라 행동했습니다. 부처는 자신의 삶을 살다가 나이가 들어서 죽었습니다.

불행하게도 예수는 자신의 정체성을 가지고 활동한 기간이 무척 짧았습니다.
예수

융은 불교와 기독교의 변화를 비교하며 흥미로운 주장을 펼쳤어.
기독교

후기 불교에서도 기독교와 같은 현상이 일어났습니다. 즉 부처도 모방의 대상이 될 수 있도록 형상화된 것입니다.

초기 불교에서 부처는 각자 인연의 사슬을 벗어나면 깨달은 사람, 즉 부처가 될 수 있다고 가르쳤는데 말이지요.

기독교도 사정은 비슷합니다.
예수는 모든 기독교인에게 완전한
인격이자, 살아 있는 모범상입니다.
성배

지금껏 수많은
서양인들이
'예수 그리스도
모방하기'를
꿈꿔 왔습니다.

스스로가 자기 고유의
숙명적인 길을 가는 대신
그리스도가 간 길을
따르려 할 뿐입니다.
난 두엽이라도 팔거유
오늘 5일장도 완판목표
앵…

그리하여 서구의 기독교적 정신은
새로운 세계의 창조가 아닌, 세계
파괴의 가능성을 내딛고 있습니다.

점차 동양에서도 부처를 신앙적으로
모방하기 시작했고, 부처는 모방의
대상이 되었습니다. 그럼으로써
부처가 가진 이념은 약화되었죠.

'그리스도 모방'이 기독교
이념의 발전을 가로막은
것처럼 말입니다.

융은 프로테스탄트 교회 목사의
아들로 태어나 자랐어.

그는 아버지가 교회로부터 도그마를 믿으라고
강요당해 불행한 삶을 살았다고 생각했어.

도그마
아~,
아버지!

융이 말하는 기독교의
대표적인 도그마는
삼위일체야.

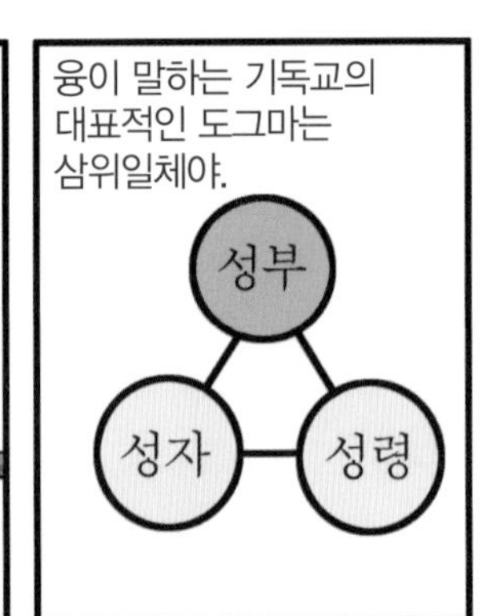
성부
성자
성령

융은 《심리학과 종교》에서 현대인의
무의식은 삼위일체의 하느님보다
사위일체의 하느님을 원한다고 주장했어.

성부
성자
성령
????

그는 삼위일체가 가지는
심리학적 의미를 연구하여
1940년에 《삼위일체 도그마에
대한 심리학적 접근》을
발표했어.

도킹준비
삼위일체 도그마
심리학
도킹준비

이 글에서 융은 기독교의
삼위일체 개념이 원형적인
것이며, 신학으로 정립되기
훨씬 전부터 있었던 보편적인
상징이라는 것을 밝혔어.

고대 바빌로니아 초기에는 '아누(Anu)', '벨(Bel)', '에아(Ea)'라는 삼위신(三位身)이 있었어.

아누신

아누는 하늘의 신, 벨은 땅의 신, 에아는 지하 세계의 신이었어.

에아신

후기에 들어서는 '신(Sin)', '샤마쉬(Shamash)', '아다드(Adad)'라는 삼위신이 있었지.

샤마쉬
아다드

신은 달, 샤마쉬는 해, 아다드는 폭풍을 의인화한 신이었어.

융은 이 삼위신이 기독교의 삼위일체에 영향을 주었을 것이라고 생각했어.

흔들
흔들

융의 연구에 따르면 고대 이집트에도 '아버지', '아들', '카-무테프(Ka-mutef)'로 이루어진 삼위신이 있었다고 해.

이집트벽화 속의 삼위신

아버지와 아들은 동일한 본질로 이루어졌고, 생식력을 의미하는 카-무테프는 아버지와 아들, 그 자신을 하나의 삼위일체로 연결시키는 역할을 했어.

카-무테프

융은 고대 그리스 철학, 특히 피타고라스학파의 사상에서도 삼위성(三位性)의 관념을 찾았어.

피타고라스

피타고라스학파의 사람들에게 3은 완전한 숫자였어.

그들은 3이 긴장을 해소하고 잃어버렸던 통일성을 회복시켜 주는 숫자라고 믿었지.

이처럼 삼위일체의 개념은 오래되고 보편적인 정신적 토대를 가지고 있어.

융은 기독교의 삼위일체론도 이런 상황을 의식적 혹은 무의식적으로 반영했을 것이라고 생각했어.

그런데 삼위일체 사상에서 악의 원리는 신의 바깥에 있게 돼.
난 악마다!

악의 원리는 삼위일체 하느님과 분리되어 악마로 치부되지. 악마는 무의식에 숨어 자율적으로 작용하게 돼.

융은 인간의 정신사에서 악마에 대한 생각은 비교적 후기에 등장했다고 보았어.

악마의 모습은 페르시아의 이원론을 제외하고는 잘 발견되지 않거든.

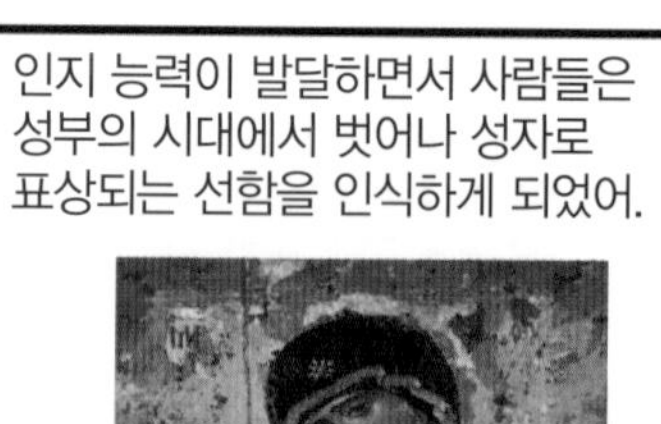
인지 능력이 발달하면서 사람들은 성부의 시대에서 벗어나 성자로 표상되는 선함을 인식하게 되었어.

자비의 성모(9~10세기 비잔틴)

그 뒤 사람들은 내면의 심각한 갈등을 겪고 고통스러워하게 되었지.

인간의 능력만으론 선과 악을 조화롭게 통합할 수 없었어.
크릉릉릉...

융은 악은 의식이 아닌 무의식의 영역에 속한다고 보았어.
ZZZZ

그러므로 인간의 구원은 무의식과의 협업을 통해서 이루어질 수밖에 없다고 했지.
구원
무의식

그런데도 사람들은 악의 세력이 두려운 나머지 악을 외부에 투사할 뿐이야.
나도 좀 태워 주면 안 되나?
선

그 결과 사람들은 진정한 선이 무엇인지 인식하지 못하게 되었지.

어떤 것이 선이고 어떤 것이 악인지 구별하지 못하게 된 거야.
꿀꺽

예수의 상(像)은 너무 선하기만 합니다.

예수에게는 정신의 본성에 있는 어두운 부분, 즉 영의 어둠이 없습니다. 그러므로 예수에게는 죄가 있을 수 없습니다.

하지만 악의 통합이 없다면 진정한 전체성은 있을 수 없습니다.
전체성

융은 삼위일체에 보충되어야 할 또 다른 요소로 '여성성(女性性)'을 들었어.
여성
삼위일체

성부 – 성자 – 성령이 모두 남성적인 요소이기 때문이야.
성부 성자 성령

남성적이기만 한 신상에 여성적인 요소가 보완되어야 전체성을 이룰 수 있어.
샬라라…
으르…

무의식은 흔히 아니마, 즉 하나의 여성적 형상으로 인격화됩니다.
아니마

사위일체의 상징은 여기에서 나온 것입니다.

대지를 신의 어머니로 이해하는 것처럼, 아니마는 사위일체의 모태이며 신을 낳는 자, 즉 신의 어머니라고 해도 될 것입니다.

융은 이러한 자신의 생각이 교황 비오 12세의 *성모몽소승천 선포로 신학적 토대를 갖게 되었다고 생각했어.

성모몽소승천

1950년 11월 1일, 교황 비오 12세는 이렇게 말했지.

교황 비오 12세

* 성모몽소승천: 성모 마리아가 죽은 뒤, 예수에 의해 영혼과 육신 모두가 천국으로 올려졌다는 믿음.

우리 주 예수 그리스도와 복되신 사도 베드로와 바오로, 그리고 원죄에 물들지 않고 평생 동정녀이신 마리아께서 지상의 생애를 마치신 다음 영혼과 육신이 함께 천상으로 향하셨음을 공언합니다.

성모 마리아가 죽지 않고 하늘로 그대로 올라갔음은 성모의 신성을 인정한 거야. 그러므로 그 교리는 삼위일체에 대지를 나타내는 여성성을 보충하려는 가톨릭 교회의 무의식이 반영된 것이라고 할 수 있어.

융은 이렇게 말했어.

사위일체
성모몽소승천은 성모의 신성을 위한 길을 닦았을 뿐만 아니라 사위일체의 길도 닦았습니다.

그와 동시에 우주를 타락시키는 원리인 악이 형이상학적 영역에 포함되었습니다.
형이상학적 영역

융이 말하는 사위일체란 삼위일체의 상징에서 하나가 추가된 거야. 하지만 그것이 무엇이라고 정의하긴 어려워.

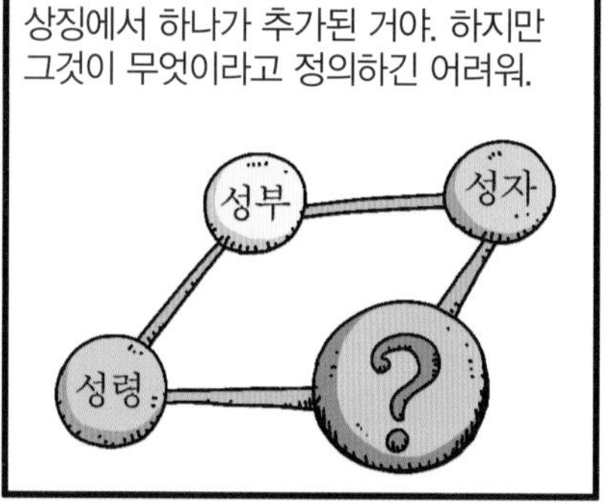
성부
성자
성령
?

융이 쓴 책들을 보면 '악의 원리'나 '여성성'이라고 이해되지만, 이 두 가지가 모두 합쳐진 것이라고도 말할 수 있어.

융이 사위일체를 주장하는 이유는 삼위일체가 현대인들에게 내면적 통합을 가져다주지 못했기 때문이야.

자, 이제 새로운 차로 갈아타시죠~?
!!
삼위일체
사위일체

융은 어둠이 없는 삼위일체는 인간 내면의 그림자를 모두 담을 수 없다고 생각했어.

삼위
일체

삼위일체의 상징은 너무 도덕적이고 영적이기 때문에 그 상징만으로는 실제로 삶에서 체험하는 악을 통합할 수 없다는 거지.

삼위일체
다이어트도 좀 하시고.
인간적이지 않아요!
심사

그래서 이를 통합하는 사위일체의 상징이 필요하다고 주장했어.

사위일체
이제 좀 나아 보이네요~.
하아, 그런가요…?

융은 1941년에 《미사에서의 변환의 상징》을 출간했어.

융은 이 책에서 성경에 나오는 말씀의 전례, 봉헌, 성 변화, 영성체, 종결 예식 등 미사의 여러 과정이 주는 상징적인 의미를 설명했어.

봉헌
전례
성 변화
종결 예식
영성체

융은 또 1952년에 《욥에 대한 응답》이라는 책을 썼어.

욥에 대한 응답

융이 가장 심혈을 기울여 쓴 기독교 연구서지.

가장 좋은 나무로 만들었지.
슥삭

융은 이 책을 쓸 때 일반적인 학술서의 형식을 따르지 않았어.

대신 자유로운 문체로 주관적인 감정을 섞어 가며 역사 속에서 신의 모습이 어떻게 변화했는지를 자세히 살폈어.

융은 *야훼(Jahveh) 신이 어찌하여 사탄과 짜고 선한 욥을 그토록 무자비하게 시험하는가를 파헤쳤어.

욥
태어난 걸 저주해….
ㅋㅋㅋ

융은 여기서 신이 악의 원리와 야합하는 양면성을 봤지.

신의 모습은 대극(大極)의 결합이라는 것을 알게 된 거야.

* 야훼: 성경에 나오는 하느님의 이름을 일컫는 고대 히브리어 소리를 한국어로 옮긴 것.

융은 《욥에의 응답》에서 기독교가 악을 '선의 결핍'으로 보는 시선에 대해 비판했어.

사탄은 당장
크르르…
그녀의 몸속에서 나가거랏!

《욥에의 응답》은 융이 진리에 대한 뜨거운 열정을 한껏 불태우며 쓴 책이야.

그는 고열을 앓은 뒤 무서운 열정으로 《욥에의 응답》을 썼는데, 이 책을 다 쓰고 나자 앓던 병이 나았다고 해.

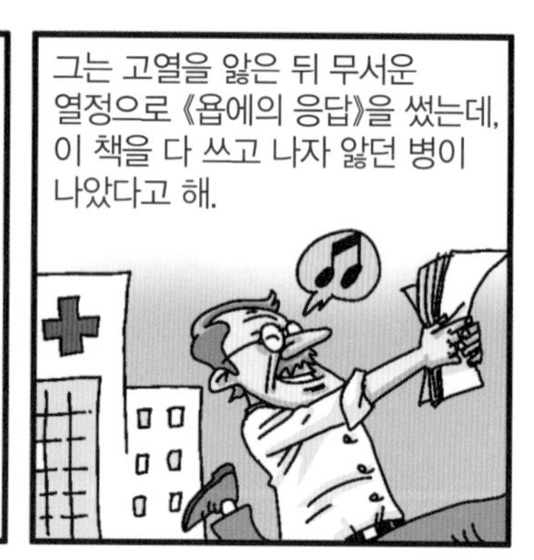

융의 수제자인 폰 프란츠는 《욥에의 응답》은 신에 대해 연구한 신학 서적이 아니라고 했어.

이 책은 기독교 교육을 받은 현대의 지식인이 구약에 나타난 어둠의 세계를 마주하고 어떻게 변화했는지를 잘 보여 준 책이라고 했지.

구약

기독교의 발전과 함께 신의 선한 측면이 강조되기 시작했어.

그러자 악한 부분이 하늘에서 추락한 천사라는 이름으로 떨어져 나가게 되었어.

신과 관계없는 타자로 악이 다루어지기 시작한 것이지.

이렇게 선한 신만을 일방적으로 강조하다 보니까 인간의 마음속에 대극이 형성되었어.

이로 인해 기독교에 반대하는 운동이 일어나게 된 거야.

또한 기독교 내부에서도 분열이 일어났지.

신을 아무런 의식이나 상징의 매개 없이 만나야 하는 프로테스탄트는 그 정도가 더욱 심각해.

교황과 싸우는 루터와 종교 개혁가들

깊은 충격과 감동, 깨달음을 주는 신의 초월적인 힘을 경험하는 방식은 사람마다 모두 달라.

무서운 신으로 경험하는 사람도 있을 테고,

오로지 사랑의 감동만을 받는 사람도 있을 거야.

신은 본래 두려움의 대상이야.

기독교는 신의 선한 면만을 강조해 왔어. 덕분에 사람들은 나쁜 것은 모두 마귀의 소행이라 여기고, 악은 나를 위협하는 존재로 여기게 되었어.

아~

그래서 악을 쳐부수기 위해 다른 악을 저지르게 되었지.

중세 유럽에서 십자군 원정과 전쟁이 어떤 결과를 낳았는가를 보면 잘 알 수 있어.

탕탕

기독교 선교사가 아프리카와 아시아에 선한 복음을 전도하기 위해 얼마나 많은 실수를 저질렀는지 봐도 잘 알 수 있지.

미신은 믿지 말랬지!
악~

기독교 선교사들은 각 나라의 오랜 토착 문화와 전통을 파괴했어. 다름 아닌 신의 이름으로 말이야.

신의 이름으로

악은 실제로 우리의 삶에 아주 큰 영향을 미치고 있어.

우리는 악을 이 세계에서 없앨 수는 없어.
치이…

그러니 악과 함께 지내는 법을 배워야 해.
드르릉

사람에게 선한 마음을 갖고 이웃을 사랑하며 자기를 희생하고,

육신의 욕망을 억눌러 고매한 정신에 눈을 돌리라고 하면,
삐약

그것은 기독교적 선의 가면을 쓰라고 강요하는 일일 뿐이야.
천사 완성!
이 차림으로 출근하라고요?

그럼 제외되고 억제된 부분이 모두 그의 의식 세계에서 떨어져 나가 무의식을 이루게 될 거야.

그 결과 사람의 정신은 분열의 위기를 겪게 되겠지.
와장창

집단적인 가치관, 행동 강령, 관습을 무조건 따라가는 것은 기독교 본래의 정신이 아니었어.
우르르

기독교에서 자기 실현이란 우리 마음속에 있는 그리스도의 실현이야.

예수 그리스도는 어떤 인습적인 규범을 모방하여 살지는 않았어.

1937년에 융은 미국 뉴욕에서 《심리학과 종교》를 강의한 적이 있었어.

그때 융이 사람들과 저녁을 먹으며 했던 말을 전하면서 이 글을 마치려고 해. 그 말 속에 종교에 대한 융의 핵심적인 생각이 잘 정리되어 있거든.

우리는 모두 그리스도가 한 것처럼 해야 합니다.

우리는 우리의 실험을 해야 합니다. 그러다 보면 물론 실수를 할지도 모릅니다.

하지만 실수를 피할 순 없습니다. 아무도 진리를 찾지 못했으니 어떤 점에서는 모든 삶이 실수라고도 할 수 있습니다.

우리가 노력할 때 우리는 그리스도를 만나게 되고 신은 진실로 인간이 됩니다.

실패를 거듭하더라도 할 수 있는 한 당신들의 삶을 끝까지 이끌어 가십시오.
헉

사람은 흔히 실수를 통해 진리에 도달하기 때문입니다.

그렇게 하면 당신은 그리스도처럼 당신의 과제를 완수한 것입니다.

그러니 인간이 되십시오. 이해하고 통찰하도록 노력하십시오. 당신의 가설을 만들고 당신의 삶의 철학을 만드십시오.

우리가 모든 개체의 무의식 속에 살아 있는 정신을 인식할 때 우리는 그리스도의 형제가 됩니다.

심리학과 분석 심리학

심리학이란?

심리학
심리학

심리학에 대해 예를 들어 설명해 볼게요. 학교에서 늘 말썽을 일으키는 친구가 있어요. 그 친구는 별것도 아닌 일에 화를 내고 친구들과 자주 싸웠지요. 선생님이 그 친구에게 "너는 왜 아이들과 잘 지내지 못하니?" 하고 묻자, 그 친구는 "그냥이오."라고 대답했어요.

정말로 별다른 이유 없이 '그냥' 그러는 걸까요? 그 친구의 대답은 진심이 아닐 가능성이 커요. 왜냐하면 사람의 행동에는 무엇이든 이유가 있기 때문이에요. 이때 그 이유를 따져 보는 것이 바로 심리학이랍니다. 심리학은 사람의 마음을 연구하는 학문이라고 할 수 있지요.

옛날에는 소크라테스와 같은 철학자들이 우리의 마음을 연구했어요. 시간이 지나 사람의 마음을 과학적으로 연구하는 학문이 생겼는데 이것이 바로 심리학이랍니다.

심리학은 19세기 말에 유럽에서 연구되기 시작했어요. 심리학의 역사는 100년이 조금 넘은 셈이지요. '심리학자' 하면 제일 먼저 떠오르는 사람이 있을 거예요. 그래요, 바로 프로이트예요. 프로이트는 심리학자 중 가장 널리 알려진 사람이지요. 융은 프로이트의 제자이자 친구였어요. 유럽에서 활동했던 시기도 비슷해요. 다만 프로이트가 조금 일찍 자신의 이론을 발표했고, 융보다 먼저 세계적으로 유명해졌지요.

다시 처음의 예로 돌아가 봐요. 말썽꾸러기 학생이 다른 친구를 때리는 이유가 뭘까요? 프로이트라면 아마 '그 학생은 어렸을 때 아버지로부터 정신적으로 억압되어 자랐을 거야. 힘이 센 아버지한테는 화를 낼 수 없어서 대신 약한 친구들에게 화를 내는 것이지.'라고 생각했을 거예요. 반면에 융이라면 '신경증을 일으키는 콤플렉스 같은 게 있을지 모르니 그 친구가 살아온 과정이나 평소 꾸는 꿈에 대해 알아봐야 해.'라고 대답했을 거예요. 이렇듯 융과 프로이트의 학문적 입장에는 차이가 있답니다.

분석 심리학이란?

프로이트와 융의 심리학을 정신 분석학이라고 해요. 영어로는 'psychoanalysis'라고 하죠. 'psycho'란 '정신'이라는 뜻을 가지고 있어요. 정신이란 '마음'을 뜻하기도 하지요. 'analysis'란 분석한다는 말이에요. 그러므로 정신 분석이란 마음을 분석한다는 뜻이기도 해요.

심리학은 현대에 들어 크게 발전했어요. 심리학을 연구하는 학자들도 많아졌고 분파도 다양해졌지요. 가장 대표적인 것이 행동주의 심리학이에요. 행동주의 심리학은 융이 한창 활동하던 시기인 1920년대에 시작된 심리학 분야예요. 행동주의 심리학의 대표적인 학자로 스키너를 들 수 있어요. 그런데 융은 이들의 학문에는 영혼이 없다며 행동주의 심리학을 그다지 신뢰하지 않았어요.

스키너와 같은 행동주의 심리학자들은 사람의 행동을 연구하면 이들의 심리를 이해할 수 있다고 생각했어요. 만약 스키너가 폭력적인 학생에 대해 들었다면 어떻게 했을까요? 스키너는 이 학생의 집과 학교에 관찰 카메라를 설치했을지도 몰라요. 그리고 학생의 행동을 꼼꼼히 지켜보며 한 달 동안 몇 번이나 친구들을 때리는지, 어떤 경우에 때리는지 등을 연구하는 것이지요. 이처럼 심리학을 연구하는 방법은 학자들마다 다 달라요.

그런데 학자들은 심리학을 연구할 때, 비슷한 생각을 가진 사람들끼리 모여서 서로 의논하기도 해요. 이렇듯 학자들끼리 서로 교류하는 정기적인 모임을 '학회'라고 하지요. 프로이트와 융도 뜻을 모아서 1910년에 정신 분석학회를 만들었어요. 당시에는 학문에 대한 생각이 비슷했기 때문에 가능한 일이었지요. 하지만 그로부터 3년 뒤, 두 사람은 견해 차이를 극복하지 못하고 서로 다른 길을 가게 된답니다.

프로이트와 헤어지고 난 뒤, 융은 자신의 학문을 'analytic psychology'라고 이름 붙였어요. 우리말로 번역하면 '분석 심리학'이라는 뜻이지요. 프로이트의 정신 분석이나 융의 분석 심리학은 바탕이 비슷할지는 모르지만, 좀 더 깊이 살펴보면 많은 차이점이 있답니다.

종교현상

분석 심리학에서 꼭 알아야 할 개념들 ①

융은 의사로서 환자를 치료하면서 분석 심리학을 연구했어요. 이는 프로이트도 마찬가지였지요. 프로이트는 정신 분석을 할 때 나름의 법칙을 갖고 있었어요. 반면에 융은 프로이트와 달리 특별한 법칙이나 규칙을 갖고 정신을 분석하지 않았어요. 융의 정신 분석은 일정한 법칙 없이 그때그때 사람에 따라서 달리 이루어졌어요. 그래서 융의 분석 심리학은 프로이트의 정신 분석보다 이해하기 어렵게 느껴진답니다. 정리된 이론이 없기 때문이지요. 대신 융이 사용했던 중요한 개념들을 이해하면 그의 생각을 이해하기 좀 더 쉬울 거예요.

페르소나

페르소나(persona)는 원래 고대 그리스 시대에 연극배우들이 쓰던 가면을 말해요. 우리나라의 탈춤을 떠올려 봐요. 탈춤을 추는 공연자가 노인의 탈을 쓰면, 그는 극중에서 노인이 되지요. 탈춤을 추는 이가 원래 어떤 사람이든지 간에, 관객은 웃는 가면을 쓴 그가 즐거워하고 있다고 생각해요. 이때 노인을 표현하는 가면이 바로 페르소나라고 할 수 있어요.

이번엔 다른 예를 들어 볼게요. 마음속으로 동생을 얄미워하는 한 친구가 있다고 가정해 봐요. 엄마는 그 친구가 의젓한 형이 되기를 바라지요. 그래서 그 친구는 하는 수 없이 동생에게 책을 읽어 주고 잘 보살펴 주었어요. 이때 동생을 싫어하면서도 좋아하는 척 연기한 그 친구의 모습이 '페르소나'라고 할 수 있어요.

페르소나란 나의 진정한 모습이 아닌, 다른 사람이 원하는 내 모습이에요. 그러면 위의 사례에서 동생을 싫어하는 것이 그 친구의 진정한 모습일까요? 꼭 그렇지만은 않아요. 동생을 많이 챙겨 주는 엄마에게 단순한 반발심이 생긴 것일 수도 있거든요. 그러니 이 또한 그 친구의 참모습이라고 단정 지을 순 없답니다.

《심리학과 종교》에 나오는 신경증 환자도 페르소나에서 벗어나지 못하고 있어요. 주변의 눈치를 살피느라 하기 싫은 일을 계속하지요. 이런 어려움에 처한 이들은 종종 신경증에 걸리고는 한답니다. 융은 신경증에서 벗어나려면 사람들이 자신의 참모습인 '자기'를 찾아야 한다고 했어요. 《심리학과 종교》의 주인공은 내면에서 우러나오는 종교적인 모습에서 자신의 참모습을 찾았지요.

콤플렉스

콤플렉스(complex)의 사전적 의미는 '복잡하다' 또는 '복합적이다'라는 뜻이에요. 그런데 심리학에서 다뤄지는 콤플렉스의 의미는 조금 달라요. 이때 콤플렉스란 '마음속의 응어리'라는 뜻이에요. 융은 심리학의 영역에서 콤플렉스라는 개념을 본격적으로 연구해 체계화했답니다.

의식
콤플렉스

융은 단어 연상 검사를 통해 콤플렉스 개념을 발전시켰어요. 단어 연상 검사의 방식은 간단해요. 검사자가 어떤 단어를 제시하면 환자는 그 단어에서 연상되는 것을 곧바로 말하는 방식이지요. 이때 환자가 유난히 머뭇거리는 단어가 있다면, 이 단어에서 연상되는 무언가에 환자의 문제가 숨겨져 있다고 추측할 수 있지요. 융은 환자가 어떤 단어에 대해 답하기를 머뭇거리는 까닭을 콤플렉스 때문이라고 보았어요.

융은 누구나 콤플렉스를 가지고 있다고 생각했어요. 아무리 완벽해 보이는 사람이라도 내면에는 보이지 않는 그림자가 있다는 것이지요. 또한 융은 콤플렉스를 의식적인 경우와 무의식적인 경우로 나눌 수 있다고 보았어요. 이때 콤플렉스가 무의식의 영향을 많이 받을수록 심각한 상황이라고 판단했지요.

한때 융은 이 개념을 너무나 중요하게 생각한 나머지, 자신의 이론을 콤플렉스 심리학(complex psychology)으로 부를까 고민했다고 해요.

융은 콤플렉스를 '무의식에 이르는 왕도', '꿈의 건축가'라 말했어요. 이와 같은 융의 콤플렉스 개념은 사람이 하나의 단일한 인격체가 아니라는 생각에서 기인해요. 인간에게는 타고난 소질과 경험이 결합되어 만들어진 수많은 '나'가 있다는 말이지요.

융은 콤플렉스가 자율성이 있어, 마치 독립된 개체처럼 활동한다고 보았지요. 그런가 하면 과거로부터 콤플렉스의 예를 찾기도 했어요. 고대 사람들이나 중세 사람들이 스스로 악마에 사로잡혔다거나 영혼이 상실되었다고 말하는 것 또한 콤플렉스에 사로잡혔기 때문이라고 해석했어요.

중요해

분석 심리학에서 꼭 알아야 할 개념들 ②

무의식

몸에 특별한 이상이 없는데도 심리적인 긴장이나 증상이 생기는 경우가 있어요. 극도로 불안하거나 우울해지는 것이지요. 그런데 이런 증상이 생기는 원인을 파악하기 어려울 때가 많아요. 융은 그럴 때 자신의 '무의식'을 잘 관찰해야 한다고 이야기했어요. 여기서 무의식이란 '의식하지 못하는 것'을 의미해요. 무의식은 의식으로는 파악할 수 없답니다.

그럼 자신의 무의식을 어떻게 알 수 있을까요? 융은 무의식을 아는 방법으로 꿈을 매우 중요하게 여겼어요. 융은 꿈이 무의식적 정신 세계를 표출한다고 생각했거든요. 프로이트도 융과 같이 꿈을 중요하게 여겼답니다. 무의식이 꿈에 어떻게 표현되냐고요? 융은 무의식이 상징을 통해서 꿈에 드러난다고 주장했어요.

상징

널리 알려져 있다시피 비둘기는 평화를 상징해요. 비둘기 그림을 보면 사람들은 자연스레 평화를 떠올리게 돼요. 아주 오래전부터 사람들은 비둘기와 평화를 연결 지어 생각해 왔어요. 이것이 바로 '상징'이지요.

서양 시대극을 볼 때, 사람들은 누가 왕인지 어떻게 알까요? 관객은 왕관을 쓴 자가 왕이라고 생각해요. 왕관이 왕을 상징하기 때문이에요.

프로이트와 융은 꿈속의 상징을 잘 들여다보아야 한다고 생각했어요. 만약 누군가 비둘기가 태극기를 물고 다니는 꿈을 꾸었다면 프로이트나 융 같은 심리학자들은 뭐라고 말할까요? 그들은 아마 태극기는 한국을 상징하며 비둘기는 평화를 상징하므로 '곧 한국이 평화로운 나라가 될 것'이라고 해석할지도 몰라요. 물론 누군가는 이 꿈을 정반대로 해석할 수도 있겠지요. 같은 꿈이라도 어떻게 해석하는지에 따라 결론이 달라질 수 있어요. 무의식을 담고 있는 꿈을 해석할 때는 더욱 신중해야 해요. 꿈을 잘못 해석하면 위험이 뒤따를 수도 있답니다.

융과 프로이트 모두 무의식의 정신세계가 꿈에서 상징들을 통해 표현된다고 생각했어요. 하지만 꿈에 나타난 상징들을 이해하는 방식은 달라요. 프로이트는 낮에 경험한 것들이 꿈속에서 변형된 상징으로 나타난다고 생각했어요. 반면에 융은 꿈이 내적인 정신세계를 표현한다고 생각했어요. 즉 융은 꿈이 순수한 내적 세계를 반영한다고 보았지요. 프로이트와 융, 둘 중 누구의 주장이 옳을까요? 그건 알 수 없어요. 둘 다 틀린 주장일 수도 있거든요.

만다라와 아니마

《심리학과 종교》의 주인공이 꿈에서 본 것 중 제일 중요한 상징이 있어요. 바로 만다라예요. 만다라는 원과 사각형으로 이루어진 이미지예요. 융은 만다라에 대한 해석을 통해 여러 가지를 설명해요. 그는 만다라가 '사위일체'를 상징한다고 해석했지요.

그런가 하면 융은 꿈을 통해 '아니마'를 설명하기도 했어요. 어떤 환자의 꿈에 부인이 등장하는데, 융은 이 부인이 바로 아니마를 상징한다고 생각했어요. 아니마(anima)란 말은 원래 라틴 어로 '혼'을 의미해요. 융은 남성 환자의 꿈에 특징적인 여성상이 많이 출현한다는 사실에 주목했어요. 그는 남성들의 무의식 속에 여성적인 특징이 존재한다고 생각했고, 그것이 꿈속에 여성의 모습으로 나타난다고 여겼어요. 이것이 바로 아니마예요. 한편 융은 아니마가 남성에게 발견되는 원형인 만큼, 여성의 무의식에도 남성적인 특성이 존재해야 한다고 생각했고, 이를 아니무스(animus)라고 불렀어요.

융은 아니마와 아니무스를 '영혼의 안내자'라고 불렀답니다. 《심리학과 종교》의 주인공처럼 신경증을 앓는 사람들의 꿈에서 아니마와 아니무스는 안내자 역할을 하거든요.

아니마와 아니무스는 '페르소나'를 강요받으면서 무의식 속에 숨겨져 왔던 자신의 모습을 드러내 줘요. 어렸을 때 남자아이는 울면 안 된다고 교육받고, 여자아이는 시끄럽게 굴면 안 된다고 강요받지요. 그런데 밖에서는 남자다운 사람이라도 집에 오면 재잘거리고, 잘 삐치는 경우가 있어요. 이것은 아니마의 모습이 나타난 거예요. 매우 조용한 여자아이가 어느 날 화가 나서 거칠게 행동하는 모습 또한 아니무스가 표현된 것이라고 할 수 있어요.

종교현상

무의식 세계와 원형 이론

개인 무의식과 집단 무의식

여러분에게는 오랫동안 함께한 착한 친구가 하나쯤은 있을 거예요. 그 친구를 좋아하는 것은 의식적인 일이에요. 스스로 친구를 좋아하는 이유를 분명히 알고 있으니까요. 그런데 왠지 싫은 사람도 있지 않나요? 이런 경우는 상대방이 싫은 이유를 분명히 이야기할 수 없지요. 사실 그 이유는 무의식에 숨어 있답니다.

!
나야, 나!

우리의 마음속에는 우리가 잘 이해하지 못하는 무의식이 있어요. 이를 맨 처음 과학적인 방법으로 연구한 사람이 바로 프로이트지요. 융은 이 이론을 좀 더 발전시켰어요. 그는 무의식에는 두 가지가 있다고 생각했어요. 하나는 개인적인 무의식이고, 다른 하나는 집단 무의식이에요. 집단 무의식은 인간이면 누구나 공통적으로 갖고 있지요.

개인적인 무의식은 태어난 이후 살아가면서 각자 겪는 경험에서 비롯된 거예요. 다만 일일이 기억하지 못할 뿐이지요. 예를 들어 아주 어린 나이에 개한테 물렸다면, 그 뒤로는 개만 봐도 깜짝 놀랄 수도 있어요. 강아지에게 물렸다는 사실을 기억하지도 못하는데 말이지요. 이것은 무의식적인 무서움이라고 할 수 있어요.

평소에는 매우 도덕적이지만, 특정한 상황에 놓이면 도둑질을 하는 사람이 있다고 가정해 봐요. 도둑질은 그의 무의식의 그림자이자, 무의식의 욕구라고 할 수 있어요. 가끔 그 욕구가 나타나는 것이지요. 그럴 때면 죽을 만큼 창피해져요. 하지만 융에 따르면 그것도 자신의 한 측면이니 무조건 억제만 해서는 안 된다고 했어요. 대신 왜 무의식의 그림자가 생기는지를 정확하게 살펴야 한다고 했어요. 그래야 무의식의 그림자가 자신을 갑자기 덮치지 않을 테니까요.

한편 개인적인 무의식이 사람마다 다양하게 존재하는 것처럼 집단 무의식도 하나가 아니라 여러 개예요. 이 모든 것을 '원형'이라고 해요. 집단 무의식은 원형들의 집합이라고도 할 수 있답니다.

원형 이론

원형은 이미지로 나타나는데, 신화에서도 찾아볼 수 있지요. 세계 곳곳에 전해지는 신화는 신화적 배경에서 살았던 원시인들의 마음을 들여다보는 통로가 됐어요. 오늘날 현대인들에게는 이러한 신화적 이미지와 상징들이 꿈으로 나타나요. 현대인이라 하더라도 무의식 세계는 원시인의 본능적인 마음과 통하는 것이지요. 《심리학과 종교》의 주인공도 신경증이라는 위기에 처했을 때 꿈에서 신화적인 상징들을 많이 보았지요.

원시 시대 사람들은 일상적으로 신화를 전해 듣고 전파하고는 했어요. 그들은 신화를 통해 무의식적 상징과 가까이 지냈지요. 또한 무의식적 세계를 집단적으로 경험하기도 했어요. 그런데 과학 기술이 발전하면서 사람들은 자신의 눈에 보이는 것만 믿게 되었어요. 이 과정에서 신화적이고 상징적인 표현을 통해 얻었던 보편적인 지혜를 잃어버렸지요. 그래서 융은 현대인들에게 그 어느 때보다도 각자가 꾸는 개인적인 꿈들이 중요해졌다고 주장했어요.

융은 개인이 꾸는 꿈이 인류 정신의 깊은 곳에서 나오는 메시지라고 생각했어요. 그는 그 꿈의 이미지를 세계 곳곳의 신화 및 종교, 우주론과 연결시켰어요. 또한 꿈과 신화는 인간의 보편적인 정신세계를 상징적으로 표현한다고 믿었답니다.

현대 문명에서 발생하는 신경증과 같은 문제를 해결하기 위해서는 무의식의 세계를 잘 인식해야 해요. 그런데 집단 무의식을 구성하는 원형이 언제, 어떻게 생겨났는지는 아무도 알지 못해요. 원형은 우리가 태어나기 전에 이미 존재했던 것이기 때문이지요. 융에 따르면 누구나 본능을 지니고 태어나듯이 원형도 원래 지니고 있다고 해요. 단지 나중에 발견할 뿐이라는 것이지요.

그런데 한 민족에게서만 나타나는 전통은 원형이 될 수 없어요. 예를 들어 우리나라는 조상에게 제사를 지내는 전통이 있지만 이것을 원형이라고 말할 수는 없어요. 집단 무의식은 어느 한 민족에게 한정된 것이 아니라 인류 집단에 공통적으로 나타나는 것이지요. 융은 인류의 보편적인 역사, 즉 어느 시대 어느 문화권에나 있는 상징 체계에서 집단 무의식을 찾았답니다.

종교현상

종교 체험과 사위일체

종교 체험

기독교를 믿는 사람들은 왜 일요일마다 교회에 갈까요? 예수님을 믿기 때문이에요. 또한 절에 다니는 사람들이 절에 가는 것도 부처님을 믿기 때문이지요. 이런 믿음을 종교라고 한답니다.

그렇다면 사람들은 어떤 계기로 종교를 가지게 될까요? 아마 처음에는 부모님을 따라 갖는 경우가 많을 거예요. 교회에 가서 친구들을 만나게 되고, 그러면서 교회가 점점 편한 곳이 돼요. 이런 과정 속에서 자연스럽게 신에 대한 믿음이 생기는 거지요.

또는 우연치 않게 한 번의 강렬한 경험으로 종교를 가지게 되는 경우도 있어요. 이런 경험을 흔히 '종교 체험'이라고 하죠. 종교 체험은 사람마다 다르게 나타나요. 융은 하느님과 같은 절대자의 강력한 힘을 경험할 때는 몸이 떨릴 정도로 무섭고, 매우 압도적인 힘을 느낀다고 해요. 융은 사람들이 이런 경험을 하면 평소에는 이해할 수 없었던 무의식의 세계를 순순히 받아들인다고 말했어요.

성경에는 종교 체험의 예가 곳곳에 나와요. 대표적인 것이 사도 바울의 종교 체험이에요. 사도 바울은 처음에는 독실한 유대 인이었어요. 그는 유대교에서 그리스도교로 개종하는 사람들을 매우 심하게 탄압했지요. 그러던 어느 날, 바울은 자신의 운명을 바꾸는 중요한 사건을 경험했지요. 그리스도인들을 핍박하러 이스라엘의 다메섹으로 가던 중 부활한 예수님을 만난 것입니다. 이때부터 바울은 예수님의 종이 되어 살 것을 결심하고 평생 복음을 전하는 삶을 살게 됩니다.

종교 체험은 사람들마다 다양해요. 《심리학과 종교》에 나오는 환자가 경험하는 종교 체험은 사도 바울의 경우와는 달라요. 하지만 두 체험 모두 논리적으로 설명할 수 없다는 점은 서로 닮아 있지요. 사실 종교 체험을 경험할 때는 합리적으로 생각하려 하지 말아야 해요. 그래야 자기가 경험했던 알 수 없는 그 힘을 인정할 수 있어요. 이런 과정에서 융이 말한 의식이 무의식 세계의 어두운 측면과 만나지요. 커다란 절망에 빠진 사람들은 종교 체험을 통해 고통을 극복하고 그들 자신과 화해할 수 있게 돼요. 비로소 의식과 무의식의 통합이 이루어지고 의식 세계의 문제가 해결되는 것이지요.

사위일체

'삼위일체'는 기독교의 중요한 교리 중 하나예요. 하나의 신이 성부, 성자, 성령의 세 가지 형식으로 사람들 앞에 나타난다는 도그마지요. '삼위일체'는 서기 381년에 열렸던 콘스탄티노플 공의회에서 처음 공식화되었어요. 기독교에서는 예수가 아버지라고 불렀던 신을 '성부(聖父)'라고 한답니다. 또한 기독교인들은 나사렛 예수를 신의 아들, 즉 성자'(聖子)'라고 믿었어요. 그리고 기독교에서 신의 영, 또는 신의 권능이 인격화된 것을 '성령(聖靈)'이라고 해요. 신약 성서에서 예수는 제자들 모두가 성령의 힘을 가지게 되리라고 약속하지요. 기독교인들은 성부와 성자의 개념은 이해하면서도, 성령이라는 개념은 쉽게 받아들이지 못했어요. 융은 목사였던 자신의 아버지도 삼위일체 도그마를 잘 이해하지 못했다고 생각했지요. 그런데 교회가 삼위일체 교리를 믿어야 한다고 계속해서 강요했기 때문에 자신의 아버지가 불행한 삶을 살았다고 주장했어요. 융이 생각하기에 이것은 단지 아버지의 문제만은 아니었어요. 자아가 발달한 현대인들은 교리를 무조건 믿기보다는 직접 체험하기를 바라지요. 그런데 현대 교회의 삼위일체 도그마는 이러한 욕구를 충족시키지 못하고 있어요.

삼위일체 도그마는 기독교가 정립되기 이전부터 있었던 보편적인 상징이에요. 그런데 융은 기독교의 삼위일체 도그마가 현대인에게 내면의 통합을 가져다주지 못한다고 여겼지요. 삼위일체가 너무 도덕적이고 영적이라서 현대인들이 일상에서 체험하는 어두운 그림자를 담을 수 없기 때문이에요. 그래서 융은 삼위일체에 한 가지가 더해져야 한다고 주장했어요.

그렇다면 융이 말하는 네 번째 요소는 무엇일까요? 그것이 무엇인지 한마디로 정리하긴 어려워요. 다만 융의 저술을 종합해 보면 융이 제시하는 네 번째 요소가 '악의 원리' 혹은 '여성성'이 아닐까 추측해 볼 수는 있어요. 또는 이 두 가지 모두가 합해진 것이라고도 생각할 수 있지요. 네 번째 요소가 여성성을 띨 것이라고 추측하는 근거가 무엇이냐고요? 성부 · 성자 · 성령은 모두 남성적인 요소인데, 여기 여성의 요소가 보완되면 전체성을 이룰 수 있지요. 융은 사위일체의 상징이 만들어진다면 사람들의 내면이 한결 편안해지고 행복해질 것이라고 생각했어요.

종교현상

54

칼 융 심리학과 종교

최현석 글 | 주경훈 그림

01 칼 융이 신경증 환자의 사례로 심리학과 종교에 대해 다룬 책의 제목은 무엇일까요?

① 《심리학과 종교》 ② 《꿈의 해석》 ③ 《신경증 심리》
④ 《지식의 고고학》 ⑤ 《무의식의 세계》

02 융은 프로이트 밑에서 정신 분석학을 연구하다 훗날 자신만의 학문을 독자적으로 발전시켜 나갔습니다. 융과 프로이트의 이론을 비교한 다음 설명 중 틀린 것은 무엇일까요?

① 두 사람은 모두 신경증 환자들을 치료하면서 자신의 이론을 발전시켰다.
② 두 사람은 모두 무의식을 중요하게 여기고 이를 연구했다.
③ 두 사람이 말한 무의식이란 의식이 근접할 수 없는 부분이다.
④ 프로이트는 무의식에 관해 특정한 이론을 주장했으나, 융은 인간의 내면이 지극히 사적이기 때문에 사람마다 다른 방식으로 접근해야 한다고 보았다.
⑤ 두 사람은 모두 종교 현상이 신경증과 유사하다고 보았다.

03 융은 개인의 경험을 초월하여 인류 역사를 통해 오랜 세월 쌓인, 인류가 함께 공유하게 된 무의식이 있다고 주장했습니다. 이를 무엇이라고 할까요?

① 일상 무의식 ② 집단 무의식 ③ 상징 무의식
④ 종교 무의식 ⑤ 사회 무의식

04 '누미노제'에 대한 설명으로 틀린 것은 무엇일까요?

① 본래 독일의 신학자인 오토가 처음 사용한 용어이다.

② 융은 종교적 경험을 설명하기 위해 이 개념을 인용했다.

③ 누미노제는 인간이 거룩한 존재 앞에 섰을 때, 자신이 신 아래 있음을 본능적으로 깨닫게 되는 체험을 이른다.

④ 누미노제는 신비롭고 두렵고 떨리는 요소가 들어 있으며 말로 표현이 가능하다.

⑤ 누미노제는 인간이 만들어 낸 것이 아니며 인간은 오히려 누미노제의 영향을 받는 존재에 불과하다.

05 아래와 같은 단어 연상 검사를 통해 알 수 있는 것은 무엇일까요?

융 : 자, 환자 분. 지금부터 제가 어떤 단어를 제사하면 환자 분은 그 단어에서 연상되는 것을 곧바로 말씀해 주세요.

환자 : 네, 알겠습니다.

융 : 고통.

환자 : 암!

융 : 종교.

환자 : ……글쎄요.

융 : 환자 분은 분명 종교와 관련해 마음속에 응어리가 있군요. 이걸 인정하지 않으면 당신은 앞으로도 계속 괴로울 것입니다.

① 콤플렉스　② 자아　③ 의식　④ 인격　⑤ 도그마

06 ⑤ : 융은 꿈이 내면의 어떤 무의식적인 동기가 있어서 그것이 꿈으로 나타나며, 때문에 꿈은 매우 정교하고 처음부터 끝까지 일관성이 있다고 보았습니다. 꿈에는 나름의 논리와 의도가 있으니 외부적 요인을 끌어들여 꿈을 해석하기보다 꿈이 나타난 있는 그대로를 봐야 한다고 했습니다.

07 영지주의 / 08 사위일체(四位一體)

09 융이 말하는 자기는 깊은 무의식에 존재하는 세계로, 집단 무의식을 이루는 원형까지 포함하고 있습니다. 반면 자아는 의식에 존재하는 세계로 자기 세계보다 훨씬 작습니다.

10 원형

06 '꿈'에 대한 융의 입장은 다음 중 어떤 것일까요?

① 꿈은 잠재된 소원이 왜곡되어 나타나는 것이다.

② 꿈은 우리를 잘못된 방향으로 이끈다.

③ 꿈을 설명할 때는 꿈과 관련이 없는 외부적 요인을 끌어들여 설명해야 한다.

④ 꿈에는 논리나 의도가 있지 않다.

⑤ 꿈에 대해 어떠한 선입견도 두지 말고 있는 그대로를 받아들여 해석해야 한다.

07 다음 글이 설명하는 종교 이론은 무엇일까요?

○○○○은 영혼과 정신은 선하고 육체와 물질은 악하다는 생각에 바탕을 둔 종교 이론이다. 이 종교 이론을 따르는 자들은 구약의 창조주가 물질을 만든 저급한 신이라 보았고, 선한 그리스도의 영혼이 악한 인간의 육체 안에 있다는 사실을 받아들이지 않았다. 따라서 악한 육체로부터 영혼을 해방시키기 위해 욕망을 억눌러야 한다고 주장했다.

정답

01 ① / 02 ⑤ : 프로이트는 신경증 환자나 종교인이나 어떤 특정한 행위를 하지 않으면 불안에 휩싸이는데 이런 점에서 종교와 신경증이 유사하다고 보았습니다. 그러나 융은 종교를 자아실현을 위한 과정으로 여겼으며 종교가 신경증을 극복하게 하는 무의식적 힘이라고 생각했습니다. /03 ② / 04 ④

05 ① : 융이 말한 콤플렉스는 '마음속의 응어리'라는 뜻에 가깝습니다. 콤플렉스는 여러 가지이며, 의식으로부터 격리되어 있습니다. 콤플렉스는 영혼의 위험을 알리는 신호이기 때문에 우리는 그 신호를 겸허히 인정하고 받아들여야 합니다.

08 아래 도식의 괄호에 들어갈 말은 무엇일까요?

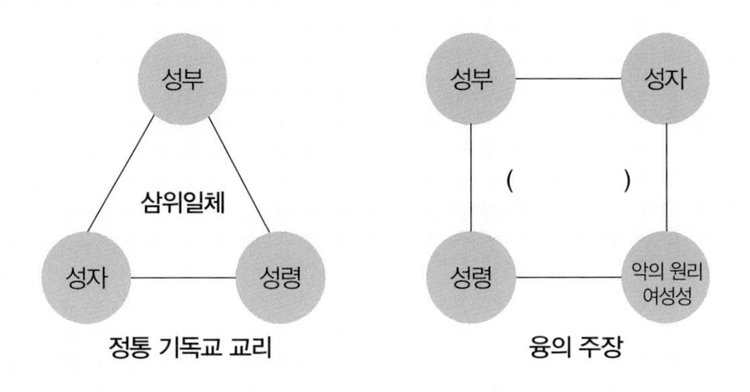
성부
삼위일체
성자
성령
정통 기독교 교리
성부
성자
(　　　)
성령
악의 원리
여성성
융의 주장

09 융이 말한 '자기(Self)'와 '자아(ego)'는 어떻게 다를까요?

---

10 인간이면 인종이나 문화, 전통과 관계없이 태어날 때부터 누구나 지니고 있는 원초적인 이것이 있습니다. 이는 세계 곳곳에 전해지는 신화에서도 찾아볼 수 있고 오늘날 현대인의 꿈에 다양한 이미지와 상징으로 나타납니다. 인류 집단에 공통적으로 나타나는 무의식을 구성하는 이것은 무엇일까요?

통합교과학습의 기본은 세계사의 이해,

세계대역사 50사건

진시황제와 중국 통일
코페르니쿠스와 과학 혁명
마르크스 레닌주의
제2차 세계 대전

제대로 알차게 만든 교양 세계사 만화!
우리 집 최고의 종합 인문 교양서!

★서양사와 동양사를 21세기의 균형적 시각에서 다룬 최초의 역사 만화
★세계사의 핵심사건과 대표적 인물을 함께 소개해 세계사의 맥락을 짚어 주는 책
★시시각각 이슈가 되는 세계사 정보를 지식이 되게 하는 재미있는 대중 교양서

1. 파라오와 이집트
2. 마야와 잉카 문명
3. 춘추 전국 시대와 제자백가
4. 로마의 탄생과 포에니 전쟁
5.석가모니와 불교의 발전
6. 그리스 철학의 황금시대
7. 페르시아 전쟁과 그리스의 번영
8. 알렉산드로스 대왕과 헬레니즘
9. 실크 로드와 동서 문명의 교류
10. 진시황제와 중국 통일
11. 카이사르와 로마 제국
12. 로마 제국의 황제들
13. 예수와 기독교의 시작
14. 무함마드와 이슬람 제국
15. 십자군 전쟁
16. 칭기즈 칸과 몽골 제국
17. 르네상스와 휴머니즘
18. 잔 다르크와 백년전쟁
19. 루터와 종교개혁
20. 코페르니쿠스와 과학 혁명
21. 동인도회사와 유럽 제국주의
22. 루이 14세와 절대왕정
23. 청교도 혁명과 명예혁명
24. 미국의 독립전쟁
25. 산업 혁명과 유럽의 근대화
26. 프랑스 대혁명
27. 나폴레옹과 프랑스 제1제정
28. 라틴 아메리카의 독립과 민주화
29. 빅토리아 여왕과 대영제국
30. 마르크스_레닌주의
31. 태평천국운동과 신해혁명
32. 비스마르크와 독일 제국의 흥망성쇠
33. 메이지 유신 일본의 근대화
34. 올림픽의 어제와 오늘
35. 양자역학과 현대과학
36. 아인슈타인과 상대성 원리
37. 간디와 사티아그라하
38. 마오쩌둥과 중국 공산당
39. 대공황 이후 세계 자본주의의 발전
40. 제2차 세계 대전
41. 태평양 전쟁과 경제대국 일본
42. 호찌민과 베트남 전쟁
43. 팔레스타인과 이스라엘의 분쟁
44. 넬슨 만델라와 인권운동
45. 카스트로와 쿠바 혁명
46. 아프리카의 독립과 민주화
47. 스푸트니크호와 우주 개발
48. 독일 통일과 소련의 붕괴
49. 유럽 통합의 역사와 미래
50. 신흥대국 중국과 동북공정
★가이드북

김창회 외 글 | 진선규 외 그림 | 232쪽 내외